# Espero Alguém

Do autor:

*As Solas do Sol*

*Cinco Marias*

*Como no Céu & Livro de Visitas*

*O Amor Esquece de Começar*

*Meu Filho, Minha Filha*

*Um Terno de Pássaros ao Sul*

*Canalha!*

*Terceira Sede*

*www.twitter.com/carpinejar*

*Mulher Perdigueira*

*Borralheiro*

*Ai Meu Deus, Ai Meu Jesus*

*Espero Alguém*

*Me Ajude a Chorar*

*Para Onde Vai o Amor*

*Todas as Mulheres*

CARPINEJAR

# Espero Alguém

• crônicas •

4ª edição

Rio de Janeiro | 2016

Capa: Silvana Mattievich
Foto do Autor: Divulgação/TV Gazeta

Editoração: FA Studio

Texto revisado segundo o novo
Acordo Ortográfico da Língua Portuguesa

2016
Impresso no Brasil
*Printed in Brazil*

CIP-Brasil. Catalogação na fonte
Sindicato Nacional dos Editores de Livros. RJ

C298a Carpinejar, 1972-
4ª ed. Espero alguém / Carpinejar. — 4ª ed. — Rio de Janeiro: Bertrand Brasil, 2016.
336p.: 21cm

ISBN 978-85-286-1694-1

1. Crônica brasileira. I. Título.

13-00652 CDD: 869.98
CDU: 821.134.3(81)-8


EDITORA BERTRAND BRASIL LTDA.
Rua Argentina, 171 – 2º andar – São Cristóvão
20921-380 – Rio de Janeiro – RJ
Tel.: (0xx21) 2585-2070 – Fax: (0xx21) 2585-2087



Atendimento e venda direta ao leitor:
mdireto@record.com.br ou (0xx21) 2585-2002

Impresso no Sistema Cameron de Impressão da Divisão Gráfica da Distribuidora Record.

# Sumário

## *A ESPERANÇA*



## *O FIM*

## *O REINÍCIO*

## SOU ASSIM

## *SOMOS ASSIM*

## *MEUS OUTROS*



## *O SEGREDO*

# *A ESPERANÇA*

# VENHA, POR FAVOR

Eu espero alguém que não desista de mim mesmo quando já não tem interesse.

Espero alguém que não me torture com promessas de envelhecer comigo, que realmente envelheça comigo.

Espero alguém que se orgulhe do que escrevo, que me faça ser mais amigo dos meus amigos e mais irmão dos meus irmãos.

Espero alguém que não tenha medo do escândalo, mas tenha medo da indiferença.

Espero alguém que ponha bilhetinhos dentro daqueles livros que vou ler até o fim.

Espero alguém que se arrependa rápido de suas grosserias e me perdoe sem querer.

Espero alguém que me avise que estou repetindo a roupa na semana.

Espero alguém que nunca abandone a conversa quando não sei mais falar.

Espero alguém que, nos jantares entre os amigos, dispute comigo para contar primeiro como nos conhecemos.

Espero alguém que goste de dirigir para nos revezarmos em longas viagens.

Espero alguém disposto a conferir se a porta está fechada a cafeteira desligada, se meu rosto está aborrecido ou esperançoso.

Espero alguém que prove que amar não é contrato, que o amor não termina com os nossos erros.

Espero alguém que não se irrite com a minha ansiedade.

Espero alguém que possa criar toda uma linguagem cifrada para que ninguém nos recrimine.

Espero alguém que arrume ingressos de teatro de repente, que me sequestre ao cinema, que cheire meu corpo suado como se ainda fosse perfume.

Espero alguém que não largue as mãos dadas nem para coçar o rosto.

Espero alguém que me olhe demoradamente quando estou distraído, que me telefone para narrar como foi seu dia.

Espero alguém que procure um espaço acolchoado em meu peito.

Espero alguém que minta que cozinha e só diga a verdade depois que comi.

Espero alguém que leia uma notícia, veja que haverá um show de minha banda predileta e corra para me adiantar por e-mail.

Espero alguém que ame meus filhos como se estivesse reencontrando minha infância e adolescência fora de mim.

Espero alguém que fique me chamando para dormir, que fique me chamando para despertar, que não precise me chamar para amar.

Espero alguém com uma vocação pela metade, uma frustração antiga, um desejo de ser algo que não se cumpriu, uma melancolia discreta, para nunca ser prepotente.

Espero alguém que tenha uma risada tão bonita que terei sempre vontade de ser engraçado.

Espero alguém que comente sua dor com respeito e ouça minha dor com interesse.

Espero alguém que prepare minha festa de aniversário em segredo e crie conspiração dos amigos para me ajudar.

Espero alguém que pinte o muro onde passo, que não se perturbe com o que as pessoas pensam a nosso respeito.

Espero alguém que vire cínico no desespero e doce na tristeza.

Espero alguém que curta o domingo em casa, acordar tarde e andar de chinelos, e que me pergunte o tempo antes de olhar para as janelas.

Espero alguém que me ensine a me amar porque a separação apenas vem me ensinando a me destruir.

Espero alguém que tenha pressa de mim, eternidade de mim, que chegue logo, que apareça hoje, que largue o casaco no sofá e não seja educado a ponto de estendê-lo no cabide.

Espero encontrar uma mulher que me torne novamente necessário.

# *O FIM*

# EXCESSO DE DOM

Meu apelido de pequeno era patinho feio. Estudei numa escolinha com esse nome, chorei quando minha mãe me leu o livro, considerava uma tragédia o animal se transformar em cisne — era perder sua essência.

Desde aquela noite, não confio no final feliz da história de amor. A maioria não tem nem final.

Até porque ninguém acredita que terminou. Continua a se viver ou por um milagre, na expectativa que um dos dois quebre o pacto educado do silêncio, ou por hábito, o que nos empurra para frente são o trabalho, as necessidades dos filhos, o amparo curativo dos amigos.

Meu romance com a ex-mulher foi terrivelmente bonito. Tão bonito que não existe rascunho.

Eu e ela tentaremos narrar, surgirão fragmentos desconexos, vamos nos emocionar e lembraremos agora da raiva.

A raiva de não estarmos mais juntos. Uma raiva sem culpados, mas com dois mortos.

E um morto não pode enterrar o outro. Não sei quanto tempo ficaremos ao relento. O mar talvez nos puxe por compaixão.

Por favor, não me pergunte nada dela hoje. Não pergunte nada de mim para ela hoje. Reinará o ódio. Por trás dele, de todas as brigas e rumores, dos temperamentos incompatíveis, sobrevive uma ternura incontrolável, um amor genuíno e violento.

Eu direi absurdos de seu comportamento para aceitar que tomei a atitude adequada. Ela repetirá crueldades do meu posicionamento, para se tranquilizar. Terei meus motivos e ela, seus motivos. e as explicações não darão conta do mistério. Somos muito menores do que aquilo que vivemos juntos.

A incompreensão será o nosso complexo de inferioridade.

Formamos um enigma. Não é possível fazer resumo de impressões, o raciocínio se esvai nas primeiras estocadas: por que nos encontramos? Por que tentamos nos entender? Por que trocamos sacolas de pertences na despedida se não nos pertencemos mais?

O pé de pato e o sapato de Cinderela. Que engraçado lembrar só de contos de fadas.

Ela surfava com um par todo colorido, vermelho e amarelo, mas perdeu o pé esquerdo em Tramandaí (RS). Três anos depois, ainda um completo desconhecido dela, eu achei a peça extraviada em Imbé, na praia vizinha.

Guardei o objeto por teimosia, assaltado pelo vexame da concha sobrenatural e inútil. Qualquer um largaria na margem para que seu dono o localizasse.

Carreguei para a casa, envolvido na completa dificuldade de me livrar do que é sozinho.

Quando a conheci e visitei seu apartamento, observei na varanda o pedal de peixe parado, ilhado, solteiro, duvidei que pudesse ser verdade, que fosse possível. Aleguei coincidência, gozação, até que o número 38 me convenceu a desistir de perguntar.

Eufóricos, arriscamos andar com pés de pato pela areia, pelo gramado, pelas ruas. Não nos acalmava a informação de que eles funcionavam apenas na água.

Considerávamos um desperdício diante da grandeza da predestinação. Para nós, não havia diferença entre o raso e o profundo, tudo era mergulho. Tudo sempre foi mergulho. Um excesso de dom.

Não confio em final, mas não contesto o começo. Sou seu par que não virou cisne.

# ENTRE CALCUTÁ E BAGÉ

Não subestime a dor da separação.

É uma alternância arrebatadora para o bem e para o mal. Um vaivém. Uma contradição de fim e início, tudo colado, de uma hora para outra; convalescenças instantâneas e movediças, adoecimentos súbitos e desmoralizadores.

Por precaução, não marque compromissos no intervalo de doze horas: imprevisíveis suas condições psicológicas. Às vezes está em Calcutá e a vaca é santa, e outras em Bagé e ela é churrasco de domingo.

Não ouse se explicar. É uma desintoxicação lenta e gradual. Alguém dentro de si precisa morrer. Ou você ou sua ex. É uma luta para quem ficará de pé em seu rosto. Muitos homens terminam com uma máscara feminina após o luto — é que renunciaram a própria fisionomia para assumir os traços de seu amor.

Não menospreze a guerra. Quem foge da fraqueza perde. Quem mergulha na fragilidade também perde.

A impressão é que se arrebentará chorando. Você chora como um animal, rasteja nas vogais, jura que sua vida acabou, que não tem mais nada para fazer, chora por si mais do que por ela. Chora vento. Vacila ao atender ao telefone, já que toda palavra mais longa é cortada por um calafrio. Desaprende a se despedir educadamente, acostuma-se a desligar na cara do amigo. Seu tempo é de cortinas cerradas e insalubridade.

Prepara um coquetel de lembranças comoventes, joga as caixas fora e toma a overdose para abraçar o esquecimento. Busca dormir logo, somente dormir, porque sonhando ainda tem a chance de encontrá-la desatualizada do fim.

Mas você acorda, apesar da força de vontade para não se levantar, apesar da reza para que o calendário morra.

Ao arquear o corpo, estará disposto, estranhamente contente, nem se assemelha ao moribundo do turno anterior. É como um revezamento de identidade, uma substituição de pele.

Como um final de semana de sol na praia, vai pular da cama, escovar os dentes cantando, jogará espuma no espelho, certo de que amará de novo, com gula, com insanidade selvagem, sem medo de ser usado e esperançoso do par perfeito.

Como a liberação de endorfinas de uma corrida, nenhum obstáculo será grande o suficiente para amedrontá-lo. Confia que, se esbarrar com ela, não tremerá. Se a enxergar com outro, poderá até oferecer três beijinhos no rosto.

Marca festas, escreve mensagens animadas e irônicas, planeja dobrar sua rotina de trabalho para ser feliz como nunca. Agradece a sorte, a solteirice, conclui que o namoro é um fardo a menos, pode sair e voltar quando quiser, não depende de explicações, pondera comprar um caminhão Ford para inscrever no para-choque: não me separei, eu me livrei.

O entusiasmo não dura sequer um longa-metragem. Os olhos espetados de Pitanguy se agravam em olheiras de Boris Karloff. Retorna a um desânimo violento, a ânsia é cancelar os compromissos, as reuniões e as saídas com os colegas, rasteja para a cama novamente. Puxa a coberta como se fosse mais pesada do que seu corpo. E adormece, para se enganar.

Todo mundo que sofre por um amor perdido tem dupla personalidade.

# RABECÃO

Carpideira era uma executiva do choro, contratada para comparecer em velório e fazer número ao morto.

Uma militante de aluguel do luto, figura providencial para o defunto não parecer sem amigos.

Uma acompanhante de lápide, para reconfortar a frieza da carne.

Um orkut pré-histórico, que fingia uma vida que não houve e erigia uma montanha de conhecidos sobre o deserto.

Formava ofício muito comum no Nordeste do país, na segunda metade do século passado.

Toda de negro, véus escuros e de panos farfalhantes, contava com anúncio no jornal, moscas adestradas e plano de carreira. Em alguns casos, havia fila de espera pelo serviço nas funerárias, o que não deixa de ser curioso, o morto ansioso por uma brecha da agenda da carpideira para descer ao chão.

Numa época em que não se podia bater as botas de qualquer jeito, requisitavam a carpideira como personal stylist do fim.

Só não podia chorar mais do que a mãe, a esposa e as amantes, regra básica de etiqueta mórbida. Assim como a madrinha não pode usar branco no altar para não rivalizar com a noiva.

O choro iniciava com um miado, avançava pelo ganido e terminava com uivos. A gripe eventual ajudava o realismo da performance.

Ilusionista, com amplo domínio dos chacras, a carpideira fabricava lágrimas de todos os tamanhos e formas (pingentes de lustre, cristaleira, casco de Coca-Cola).

Estremecia mesmo a plateia de emoção no momento de assoar o nariz. Armada de lenço longo e vermelho, cantava com as narinas, um assobio lindo somente comparável à Marselhesa.

A carpideira salvou inúmeros políticos do vexame derradeiro, recuperou a reputação de violeiros e cafajestes (sua maior dificuldade, entretanto, acabava sendo o funcionário público, de magro rebanho e tédio familiar).

Enterro bom tinha que ser um comício, com contagem oficial pela Polícia Militar.

Quando superava o público do circo, comentava-se que a morte de fulano foi uma festa.

Pois o que de mais terrível poderia acontecer ao homem não era morrer, mas receber enterro vazio, sem ninguém, sinônimo de falta de prestígio.

Em rodinhas mirradas, o coveiro ficava com pena e começava a cavar devagar, esperando que alguém aparecesse no corredor de pedras. Por compaixão, trocava a pá pela colher. O padre protagonizava sermões de Antonio Vieira, torcendo pela chegada de retardatários.

As carpideiras organizaram sindicato (Chorosas sem fim) e definiram uma tabela de preços: o choro poderia ser cobrado por hora ou por diária.

Se houvesse vestibular para esse trabalho, me inscreveria no ato. Seria o primeiro lugar, ganharia bolsa, destaque de cursinho.

Sofro de coração mole. Um dom incomensurável para a lamúria.

Devo fugir de cemitérios. Uma vez em seu território de cruzes e anjos sempre seguirei algum carro fúnebre e me infiltrarei entre parentes estranhos. Tamanha a insolência, sou capaz de me aproximar para carregar a alça do caixão.

E choro copiosamente. Choro de graça. Ainda não aprendi a ser profissional e ganhar com a minha dor.

# ALTAR VAZIO, JORNAIS DE ONTEM

No avião, uma passageira ao meu lado soltava gritos histéricos a cada turbulência.

Eu não me perturbei, não fui influenciado pelo seu medo: não me importava se fosse cair ou não.

No estádio, houve princípio de confusão, não corri para a saída. Permaneci tranquilo em meu degrau, não me importava se fosse me machucar ou não.

Se sou assaltado, devo virar os ombros. Se sou ameaçado, devo virar as costas. Não tenho receio das consequências.

Aceito absolutamente os riscos. A morte não me desagrada, a vida não me inquieta.

Não há vontade de me matar, muito menos de acordar.

Após a separação, não sofro de pressa nenhuma para concluir meus trabalhos. Não reclamo dos prazos. Não quero terminar logo uma palestra. Não apresso a porta de casa. Não defino um motivo para sair ou regressar. Um domingo lindo e uma segunda-feira chuvosa não guardam diferença. O altar vazio é igual a uma prateleira.

Não me preocupo com a minha saúde, ou com a aparência.

Na última sexta, dirigi de Porto Alegre até Caxias do Sul. Assim que atravessei o pedágio, voltei. Só precisava ir para longe e não parar nunca.

Pretendo cansar meu sofrimento. Rezo para desmaiar e pensar menos.

Antes economizava tempo, reduzia as estadas nos hotéis, a duração dos voos, os afazeres, para ficar com ela. Agora o intervalo é inútil e minhas mãos são jornais de ontem.

Estou curiosamente tranquilo. O desespero me tranquiliza. O desespero me torna invencível. A expectativa é nula e, portanto, duradoura.

Voltei a ser humilde, a escutar as canetas, as moedas, os objetos caindo no chão e recolhê-los aos seus donos desajeitados.

A fossa me corrige a postura. Tenho falado baixo, peço licença às cadeiras e desculpa às paredes. Nunca andei tão educado, comedido, respondo imediatamente as ligações maternas.

A fossa devolve a modéstia. Você pode ser arrogante, mas o sofrimento amoroso rompe com a vaidade, fere a estima, sangra seu egoísmo.

Passa a se interessar pelos conselhos de todos, do síndico ao caixa do banco. Passa a andar devagar pelo bairro, enxerga cartomantes nos postes e beijos nos carros parados.

Não existe imunidade. Não tem como se defender da saudade.

O fim do amor é um retrocesso ambicioso. Não vai se valer da cautela. Não vai se apoiar na fama. Não vai fugir do desastre.

Você pode ser um empresário afortunado e rastejar para que alguém volte.

Você pode ser um ator de sucesso e mendigar uma segunda chance.

Você pode ser um engenheiro frio e indiferente e mergulhar numa crise de choro sem precedentes.

O amor é o antídoto da soberba. Maestros retomam o papel de solistas. Professores reiniciam seu percurso como alunos. Senadores se candidatam a vereador.

Aquele que se julgava pronto não tem mais nada fazendo sentido e precisa de tudo de novo

Tudo de novo. Tudo de novo. Tudo de novo.

# RETIRO NUPCIAL

Recomendaram-me sair de perto.

— Fique longe dos lugares preferidos do relacionamento, dos restaurantes conhecidos, dos percursos decorados. Revê-la de repente será constrangedor.

Eu ri, afinal como se esconder em Porto Alegre? Inútil como criança buscando refúgio atrás das cortinas. Inútil. Na capital gaúcha, natural se esbarrar num show, no teatro, no cinema. Nossos gostos eram muito parecidos, o que fortalece o acaso.

Se fosse seguir o conselho, não poderia nem assistir ao meu Inter, grandes chances de enxergá-la nas arquibancadas do Beira-Rio.

Para relaxar da paranoia amorosa, fugi para Belo Horizonte. Antes me certifiquei de que não havia nenhum Congresso de Psiquiatria durante o período.

Eu me internei no Hotel Ouro Minas, disposto a retomar o livro de poemas. Nada como o luxo para curar a avareza da separação.

O conforto já me fazia bem: passeava sem medo de traumas e comia sem olhar para a porta.

Mas, no hall de recepção, quando desci para ler jornais, havia cinco casais se amassando. Beijavam-se loucamente, em lascívia cega, similar aos adolescentes nos bancos dos shoppings.

Veio o mal-estar. Pareciam casais cenográficos. Don Juans ensandecidos enfiavam as mãos nos coques das donzelas. Muitos enlaces fervorosos, reticências dos suspiros, juras endeusadas.

Eu fingia ler, apesar da solidão me angustiar. Quando sofremos de amor, qualquer alegria é uma nova tristeza. Recrutava calafrios nas lembranças recentes

Enjoado, larguei o caderno de Esporte pela metade, cometendo alto sacrilégio masculino.

No almoço, o isolamento aumentou. Tinha a certeza de frequentar uma excursão do Dia dos Namorados ou um cruzeiro de Roberto Carlos. Mesinhas a dois, com luz de velas, os garçons de black tie as cozinheiras sorridentes como aeromoças, uma atmosfera romântica pegajosa no ar.

O maître, ao puxar minha cadeira, ensaiou preocupação:

— Sua esposa vai descer logo?

Aquilo me turvou. Será que não havia vida solteira naquele prédio?

Pedi comida no quarto.

De noite, o meu oitavo andar foi tomado de uma onda sonora perturbadora. Gemidos, música alta, cama rangendo. Cada quarto comportava uma rave, era o que dava para imaginar. Impossível adormecer sabendo que todos transam, menos você. Um puteiro seria mais discreto. Havia uma algazarra libertina, as vigas tremiam, os quadros tremiam, minhas sobrancelhas tremiam de raiva.

Na manhã seguinte, antecipei a conta.

O recepcionista questionou o motivo de encurtar a estada.

— Querido, aqui unicamente enxergo casais se amando e esnobando seu amor.

Ele balançou o rosto de modo gracioso, explicou que o hotel realiza uma promoção aos recém-casados uma vez por mês. Naquele fim de semana, o lugar recebeu vinte e nove pares em núpcias.

Desespero não é ser jogado ao pior lugar. É estar no melhor lugar no momento errado.

Voltei imediatamente a Porto Alegre. Agora só faltava encontrar a minha ex com outro no aeroporto.

## *SACOLEIROS DO DIVÓRCIO*

Eram separados recentes. Mariana e Renato já tinham atravessado o apocalipse do primeiro mês, momento crítico em que se torce deslavadamente para a tragédia do ex. (Torcer é um eufemismo, rezava-se para que o divórcio logo se transformasse em viuvez. Quem passou pela fossa sabe do que estou falando: o desejo 24 horas por dia para que o outro morra, desapareça da face da Terra, evapore da humanidade. E que seja uma morte retumbante, com ampla repercussão nas redes sociais, esmagado pelo Arco da Redenção, ou atropelado por uma bicicleta na ciclovia do Gasômetro).

Os dois curtiam a segunda fase da separação: a curiosidade do ódio, aquele período fundamental em que se paga por informações para descobrir como o nosso antigo par está reagindo ao luto. Mariana e Renato queriam porque queriam notícias, adoeciam de ansiedade para desvendar se o ex engatou um novo relacionamento e esqueceu o passado, mas não poderiam se telefonar. Soaria suspeito ligar para os amigos perguntando, ficaria muito na cara o interesse, representaria uma recaída. (Ansiedade não é o nome certo, talvez seja medo de que o ex seja feliz primeiro. Existe uma competição oculta entre os separados: quem sai mais nas baladas, quem emagrece mais, quem tem mais amigos no Facebook, mais seguidores no Twitter).

Ambos psicanalistas, lacanianos assumidos, Mariana e Renato não se sentiam à vontade usando a filha Marisa, de três anos, como garota de recados. Viviam criticando essa atitude, quando a criança é intermediária da crise, uma espécie de mula do tráfico amoroso, levando ofensas e indiretas entre os lares.

Mas Mariana e Renato encontraram um modo inteligente de se comunicar: as sacolas das lojas. A filhota chegou para dormir na casa do pai com os pertences numa sacolinha de caríssima loja feminina de sapatos, onde cada par não custava menos de R$ 500. Aquilo irritou o homem: "Eu sofrendo para pagar a pensão e ela gastando os olhos da cara". Para quê? Não deu outra: a filha voltou para a mãe com sacolinha de grife masculina. Mariana reparou na marca Armani e se enfureceu: "Comigo, ele vivia de abrigo molambento, velho, agora torra tudo o que não tem com terno, deve estar apaixonado por alguma piranha." A reação veio no final de semana seguinte. Providenciou que a filha visitasse o pai com uma sacola de free shop. Renato bufou: "Agora a cretina viaja ao Exterior! Ao meu lado, só íamos almoçar na sogra em Cachoeirinha." Preparou a vingança mais do que perfeita, apareceu numa rede de lingerie para pedir uma sacola emprestada na maior cara de pau, comportou as coisinhas da filha lá dentro e teve sucesso. Sua desafeta predileta babou, esperneou e ralhou que não aguentava a provocação: "Ele nunca comprou um sutiã para mim, sequer conhece o número do meu peito, agora o pilantra distribui peças íntimas para suas namoradas." Após sete dias, apelou de vez e pôs as roupinhas da menina numa bolsa plástica prateada e fosca, própria de sex shop.

Foi um golpe baixo. Renato perdeu a educação dos símbolos, pegou o telefone e rompeu o silêncio:

— Da próxima vez, pode mandar os objetos da nossa filha numa sacola que não seja de sacanagem?

— Por quê? Está com ciúme? — pergunta Mariana.

— Não, imagina, deixa pra lá...

E começava a terceira e última fase da separação: a hipocrisia, fingir que nada mais é importante.

# GERÚNDIO

Durante meses, falei que estava me separando. Para me acostumar. O gerúndio um dia acontece.

Não me acostumei, confidencio a você o que experimento, talvez para ter maior clareza sobre o que me machuca.

As alegrias não são mais como deveriam. As tristezas não são mais como deveriam.

Não consigo encerrar uma como a outra.

A tristeza não tem fundo. Tristeza é quando não temos mais fundo. Procuro desidratar, espernear, rastejar dentro do sangue, ser um réptil de pele grossa, deixar a barba a esmo, esmagar os travesseiros com um misto de soluço, tosse e socos dos olhos, mas sempre sobra dor para o dia seguinte. Por mais que me esforce em terminá-la — resta uma angústia inédita, uma angústia inesperada, que parte de uma vivência simples como frequentar um parque ou atravessar uma rua conhecida. Não é um parque qualquer, é onde a ex-mulher me acompanhava. Não é uma rua qualquer, é onde atravessávamos de mãos dadas.

Nunca sei quando vai doer — isso é o que mais dói.

A dor é mais uma morte em mim. Não me separei de uma esposa, eu me separei do que eu era com ela. São duas separações ao mesmo tempo.

Não duvido que o excesso de sensibilidade me torne insensível. Estou tão vulnerável que não sinto nada.

O riso é também pela metade. O riso hepático, mais uma contração facial do que uma respiração desembaraçada. Aceno com a cabeça, não é mais aquele salto felino dos dentes. Meu sim virou um não simpático, com a leve inclinação dos lábios. Não abro, nem fecho: respiro pela boca.

Perdi mais do que a sinalização de qual era a mão esquerda com a aliança. Ainda não sei o que perdi. Amanheço e percebo que perdi mais uma coisa. Tudo me engravida e eu perco. Perco muitas crianças em cada lembrança.

Observo o apartamento que já não é meu, como se o último ano estivesse para ser alugado. Sou um hóspede com memória de morador, o impulso de tocar o que não me pertence. O conjunto de peças de demolição que compramos, a manta vermelha para cobrir o sofá, a poltrona para leitura, o tapete que nos obrigou a adiar as férias. Quando assumimos o imóvel, contávamos com apenas um colchão, raras estantes e um abajur trincado. Lembro o quanto custou a superfície de nossa paz. Controlo-me para não arrumar as venezianas e pintar as paredes. Ela vai reparar que não resisti e troquei as lâmpadas do lustre do quarto. Deduzi que precisava de luz para dormir. A verdade é que não sou mais daqui, sequer de outro lugar. Se não tenho para onde voltar, não tenho para onde ir.

# ILUMINURA DO BANCO DA PRAÇA

Você não perguntou se eu podia, ou se devia.

Você não me diminuiu para se sentir mais forte.

Você não se escandalizou com a mentira; eu não completei a verdade.

Você não pensou no futuro, não pesou as consequências, não penou antes da hora.

Você não se protegeu do que desconhecia.

Não alertou que sofreria comigo e que depois não sairia ilesa.

Você não me forçou a adivinhá-la.

Não apelou para o bom senso.

Você não me inventou, muito menos queimou o rascunho.

Você não me ameaçou com gentilezas.

Não me incriminou com seus temores, não explicou seus traumas.

Não se fez de vítima como se eu estivesse atacando.

Não, você me carregou nos ombros pela cintura. Os dois dedos dentro do meu cinto empurrando a dança.

Não me solicitou prova, testemunhas, sinais.

Não emprestou a Deus o que acontecia em segredo.

Você lembrou do sinal da cruz longe da igreja.

Não me julgou por antigos amores.

Não me condicionou a amar como estava acostumada.

Não esperou que eu pronunciasse o que vinha escrito em carta.

Você me olhava com os cabelos.

Você não pediu fiança, recompensa, para se entregar.

Você veio com a roupa do corpo, com o corpo ainda sem culpa.

Você me fechou em suas pernas e deixou a porta aberta do quarto.

Você me exilou no desejo para me repatriar aos poucos.

Você esqueceu as janelas chiando na cozinha.

Você foi incapaz de me constranger quando desisti de responder.

Você não me incitou a casar contigo, não me incitou a namorar.

Você não isolou minhas frases, não alegou que era uma fase.

Você me perdoou como se não existisse.

Você me fez existir para que perdurasse.

Você não me reclamou distante, não cobrou que mandasse notícias.

Você desaparecia quando desaparecia e voltava quando voltava.

Você me afirmava quando me confundia.

Você segurava a nudez para que subisse.

Você não me comparou a ninguém, muito menos aquilo que já fui.

Você não me subornou com a infância ou com o medo da morte.

Você não explorou meus segredos para usá-los.

Você não quis que falasse para preencher as falhas.

Você arredondou os defeitos pela pressa de cuidá-los.

Você foi generosa com os meus ouvidos, confiando mais no vento do que na palavra.

Você me permitiu.

Você me entendeu ao não entender.

Você não teve nada a ver comigo — finalmente eu não me repetia.

## QUANDO A ESPOSA VAI EMBORA

Maurício estava separado.

Sua esposa recém abandonou a casa. Levou as roupas e os pertences sem motivo. Um suicida seria mais educado: pelo menos, deixaria um bilhete e uma explicação. Não foi o que ocorreu.

Para complicar, Maurício e Karen irradiavam felicidade nas últimas semanas, o que ferrou com a cabeça do sujeito. Não houve nenhuma discussão, nenhuma cobrança, nenhum problema pontual.

Não entendia até aquele momento uma dura verdade dos relacionamentos: a felicidade separa mais do que a infelicidade. Poucos suportam depender de outro. Não há maior humildade do que precisar de alguém.

A empregada Leonice vinha sempre às 8h e encontrava o bancário arrumado e com a mão na maçaneta.

Naquela sexta, não foi diferente, a não ser a esperança da reconciliação.

— Karen ficou dormindo, acordará somente ao meio-dia. Parecia muito cansada. Assistimos a um filme e deitamos tarde.

A empregada suspirou feliz com a reaproximação do casal. Só faltou benzer a porta fechada do quarto.

— Volto para o almoço às 14h — completou.

A empregada foi ao mercado comprar ingredientes e preparar um empadão de palmito, prato predileto de sua patroa.

No decorrer do caminho, recebeu ligação de Maurício.

— Não esquece a rúcula e o iogurte natural que acabaram. Karen não abre mão.

Ao meio-dia, Maurício telefonou de novo:

— Ela levantou?

— Não, permanece quietinha lá, sonhando com os anjos — respondeu Leonice.

— Então, deixa dormindo.

Quando Maurício regressou para o almoço, no meio da tarde, Karen não tinha dado sinal. Ponderou, ponderou e decidiu não despertá-la.

— Ela nunca pode dormir. Não deve ter trabalho hoje. Não é o caso de incomodá-la. Acordará sozinha.

O tempo rodou 15h, 15h30, 16h, 16h30.

Maurício ligou mais uma vez:

— E Karen?

— Nada ainda.

— Compra flores na esquina e decora a sala. Gerânios, ela adora essa palavra: gerânio. Ela costuma falar que a palavra já tem cheiro.

Satisfeita por dentro, Leonice riu com suas covinhas, concluiu que os dois continuavam apaixonados um pelo outro.

Quando Maurício regressou às 18h, Karen resistia dormindo. Ele teve que pedir:

— Vai acordá-la, passou do limite, o almoço já é janta.

Leonice ressurgiu na sala branca, esverdeada, rosa, azul, amarelo, lilás, alternando as cores do medo.

— Não tem ninguém no quarto.

Maurício respirou fundo e somente disse:

— Não estou pronto para saber disso. Vamos continuar fingindo que ela ainda mora conosco, tá bom, Leonice?

# TEMPO DE CASADO

Eu não consigo escrever de relógio de pulso. Aperta, esfria o sangue. Não é problema com o tempo, é com o braço. Não me tolero amarrado a uma angústia.

Aceito relógio quando caminho. Não sei parar com ele.

Sentei aqui para redigir seu rosto.

Vou por partes, para não me entender mesmo. Sofrer é fazer que tudo tenha sentido. Quando tudo tem sentido nada mais tem.

A alegria é não precisarmos de sentido afora estarmos juntos. Um com o outro. Um no outro. Um para o outro.

Passo a concluir que a alegria é profunda e a tristeza é superficial.

A tristeza não cansa de ter razão. Quem tem razão, briga. Busca convencer. Não sairá do quarto sem a desistência da oposição. Consolar é concordar, igualando — com infelicidade — as opiniões.

O primeiro que se mostra contrário ao sofrimento não está apoiando.

A alegria é muito mais tolerante. Não pede concordância para continuar existindo.

Eu desvelei o motivo da separação dos casais que ficam mais de dez anos, mais de quinze anos:

A exigência.

Falta-lhes humildade para recomeçar. Tornam-se extremamente exigentes. Impacientemente exigentes. Viveram tanto, com tantas dádivas para comparar que não aceitam menos do que foram.

Quando você me observa, está me comparando comigo dando força em sua gravidez, com o início festivo do namoro, com a espontaneidade da casa desmobiliada e um colchão no chão, com o amigo que falava sem cessar no restaurante para não desmerecer sua risada, com o amante seguro que dorme ao lado da porta para protegê-la.

Você não me observa mais, você me anula diante de todos os homens que já fui. Vou pagando empréstimos com empréstimos.

Ainda me procura alinhado, mas sou sua roupa solta pelo sofá.

Cogitava, o que vivemos iria nos ajudar a continuar vivendo, como um reservatório de confiança. Na fraqueza, puxaríamos uma lembrança e logo nos sensibilizaríamos, selaríamos as pazes e diríamos que é bobagem continuar discutindo.

Mas o que ocorre é o inverso. O que nós vivemos nos atrapalha. Nos emperra. Nos empaca. O marcador de página já faz sombra amarela no livro.

Os apaixonados têm mais facilidade em se aceitar. Porque eles não existiram antes para apontar falhas e descaminhos. Correm com a leitura. Serão receptivos, atentos e esperançosos. Há mais ânsia do que alma.

Não aconselho apagar o que fomos, e sim não repetir, não determinar o que é meu ou seu. Não buscar um insano consenso com o passado, ou uma coerência passiva. Admitir que ambos falharam na vida, mas que é infinitamente melhor do que falhar no amor.

Eu só desejava que você me olhasse como se fosse um desconhecido. Que me cumprimentasse não sabendo mais nada de mim. Nada, além da vontade de conhecê-la.

# ESQUECIDO, MAS FELIZ

Eu posso esquecer a receita do minestrone da avó.

Eu posso esquecer a loja em que comprei a calça preta favorita.

Eu posso esquecer o restaurante que escolhemos para passar a virada do ano e o coquetel flamejante que bebemos, desculpa, fumamos (era a nossa piada).

Eu posso esquecer o autor do verso "nunca me perdi de vista: detestei-me, adorei-me, depois envelhecemos juntos".

Eu posso esquecer o esconderijo dos óculos de sol.

Eu posso esquecer que toalha de crochê tem um lado certo.

Eu posso esquecer de desligar o alarme do celular, agendado na manhã anterior.

Eu posso esquecer que o carnê do carro vence no dia 7.

Eu posso esquecer a melhor marca de azeite.

Eu posso esquecer o diretor do filme em que um casal está perdido em Tóquio.

Eu posso esquecer os aniversários dos sobrinhos.

Eu posso esquecer que você odeia aspargos, mas gosta de palmito (o inverso de mim).

Eu posso esquecer de deixar a luz acesa no corredor, já que tem medo de atravessá-lo durante a madrugada.

Eu posso esquecer minha mania de enfiar os chinelos debaixo da cama e procurar o par pela casa inteira.

Eu posso esquecer qual é a rua do sapateiro para salvar a sola dos meus sapatos.

Eu posso esquecer o que significa tramela.

Eu posso esquecer as diferenças entre o jasmineiro e o jacarandá.

Eu posso esquecer o nome de nossos vizinhos.

Eu posso esquecer de temperar o bife.

Eu posso esquecer a capital de El Salvador.

Eu posso esquecer de colocar protetor ao jogar futebol.

Eu posso esquecer daquele perfume de figo que você usa, adquirido na Itália.

Eu posso esquecer de levar meus casacos à lavanderia.

Eu posso esquecer de responder e-mails de pedidos de entrevista.

Eu posso esquecer de fazer a cópia da chave da correspondência.

Eu posso esquecer da revisão do carro a cada 10 mil quilômetros.

Eu posso esquecer a lista dos anjos que decorei na infância ou como se chama a cobra que morde o rabo.

Eu posso esquecer de ajeitar a unha do pé direito, que dói ao caminhar muito.

Eu posso esquecer as exceções da crase.

Não morro de inveja de quem lembra de tudo, e esqueceu de amar.

Tenho amor, não tenho memória.

Posso esquecer tudo, menos de você que me acompanha desde sempre. Você me lembra do que vivo esquecendo.

# O CENTRO DO CÉU

Levei uma bolsa de couro com livros para degustar na praia. Quinze volumes de poesia, biografia, ensaio, romance. Livros bons, que ansiava devorar. Escolhidos a dedo, com a lascívia da véspera.

Quantos li? Nenhum, nem toquei em suas lombadas. Em outros veraneios, seriam todos. E ainda compraria alguns na farmácia e tabacaria, sem nenhuma empatia, para treinar os pés das pupilas. Eu sou um homem que depende da leitura para respirar. Preciso de uma Bíblia na gaveta para me sentir vivo. Palavras cruzadas. Gibis.

Depois da separação, não consigo ler. Uma atividade tão natural e simples, biológica no meu caso, que escrevo resenhas para jornal e gosto de olhar ao horizonte digerindo uma frase de efeito, que aponto os lápis como um cozinheiro limpa e afia seu faqueiro

Não consigo ler há um largo tempo. São semanas de jejum. Já me vejo como um leitor desempregado. Um ex-leitor. Dói virar a página. Todo parágrafo elegantemente escrito me machuca. Toda palavra penteada me provoca arrepios, pelo contraste com a minha dor descabelada. A sobriedade das vozes acentua a minha cara de ressaca. Misturei sentimentos como quem mistura bebidas na noite anterior.

Uma nova obra pede irmãos. Recordarei os livros que abandonei em minha biblioteca. Não poderei consultá-los. Uma citação vai exigir que procure um autor localizado na segunda prateleira, terceiro degrau, à direita, de uma casa que não possuo mais a chave.

Voltei a ser uma criança que soletra. Com a custosa dificuldade de superar as manchas de tinta e subir a escada das linhas. Uma página que pede a seguinte não tem sentido. Qualquer sequência me abala. O contexto não explica as palavras.

Não tenho mais a segunda-feira, depois a terça, depois a quarta, depois a quinta, a sexta e o final de semana. A mortalidade anda pelo avesso. As páginas não evoluem em sua numeração, regridem, saltam. O corpo não nada, boia. Com o rosto para cima, impossibilitado de acompanhar o sol cair e se levantar. Não usufruo de ângulo do nascente e crepúsculo. Observo apenas o centro do dia, o centro do céu. Encaro o sol mais forte, a luz cega.

Não aguento o formigamento dos braços, já é infarto. Parar um instante num travesseiro ou numa poltrona é perigoso. Facilitaria a perseguição do passado — ele já está perto, alcançando os ombros. Evito me deixar sozinho. Ler é recuar. Escrevo fingindo que avanço.

Dispensava tardes concentrado num pensamento, hoje sequer atravesso uma vírgula. Um ponto de interrogação tem arames. Não passo para o outro lado. Com distração ansiosa, dispersivo, não leio por enquanto.

Fixar os olhos em um lugar é chorar.

# QUANTO MAIS ............. PIOR

Meu amigo Daniel superou 40 dias de luto da separação, aguentou no osso o divórcio, chorou horrores e debulhou suas lágrimas em copos de bourbon, parou de atender ao telefone e se trancou no quarto.

No 41º dia, ele ressuscitou. E voltou a sair e se divertir. Já estava esquecendo o quanto amava sua ex. Já estava esquecendo que foi amado pela ex.

Um homem somente apaga um amor no momento em que encontra outro. Daniel se enamorou de uma bancária. Badalou vários finais de semana com Heloísa, ria com a franqueza de um adolescente.

Apaixonado? Sim, mas seria o último a saber. Todo apaixonado é o último a saber que está apaixonado. O mundo inteiro sabe, menos o próprio apaixonado. Não adiantava contar a Daniel que ele estava apaixonado, ele jamais me escutaria. O apaixonado é surdo também.

Para comemorar a nova fase de sua vida, Daniel convidou Heloísa para almoço em restaurante francês nos fundos de um casarão.

Ele pediu cordeiro com purê de beterraba; ela, filé mignon com acompanhamentos silvestres.

Ele pediu um vinho chileno; ela avisou que não poderia beber (pois ainda iria trabalhar), e se contentou com uma Coca-Cola.

— Coca-Cola Light?

— Não, senhora, só temos Zero — avisou o garçom.

— Ok, não vou me desesperar por um detalhe — replicou.

O casal soltou os braços sobre a toalha para diminuir a distância das cadeiras, ambos se olhavam firme e forte numa hipnose infindável, hipnose à moda antiga, de relógio de bolso balançando.

A mesa estava sobrando entre os dois. Ele se debruçava no prato para arrancar um beijo, ela se levantava para acariciar sua testa. Nada poderia estragar aquele bem-estar. Quase nada.

Mas quando a Coca pousou na mesa, Heloísa gelou, derrubou o arranjo de flores e fugiu para o banheiro soluçando a seco.

Ele olhou a Coca com calma: Será que tinha uma barata?

Não achou coisa alguma, até que leu um nome. A marca decidiu homenagear seus consumidores nas latinhas.

Era o nome de sua abominável ex: Carolina.

"Quanto mais CAROLINA melhor"

Heloísa não aguentou a provocação, ardia de ciúme do passado dele.

Quando um refrigerante faz uma campanha dessas, não cogita que existam desafetos no mundo, ódio familiar, revolta interior, tristeza reprimida, viuvez, gente que levou o fora ou foi corneado ou enganado. Imagina apenas que todos se gostam e que todos vão adorar ver seu nome ou de sua namorada na embalagem.

Daniel amaldiçoou o azar, criou teorias da conspiração, não duvidou da perseguição da megera, cogitou a hipótese de ela subornar o garçom para trazer aquele refrigerante.

— Como, entre milhares de opções, surge em minha mesa logo o nome daquela vagabunda?

Não poderia responder. Heloísa recusou carona e seguiu sozinha para o emprego. Não havia mais felicidade para ser dividida.

Do copo dela, só ficou o limão.

## *VAI PASSAR*

Ao fazer meu check-in no terminal do aeroporto, empaco e crio fila. Não superava a etapa: qual o contato de emergência? Nome? Telefone?

Não digitava nada. Quem colocar? Quem vai velar por mim depois que você foi embora?

Sobrevivo assim a maior parte do tempo.

Quando ando pela rua, reviso os bolsos, fraquejo com a memória, me assusto com as coincidências. Saio de casa com a impressão de que deixei a cafeteira ligada, a porta destrancada.

Qualquer atitude esconde sua ausência. Todo lugar que já estivemos me rebobina. Olho, e me perturbo. Se avisto um Twingo, corro para ler a placa. Se percorro Ipanema, vejo sua sorveteria predileta e minha boca procura reaver o cheiro de pistache. Quando atravesso a faculdade, recordo o quanto desejava ter um leão de pedra no pátio de sua casa. São observações aleatórias, coisas que diríamos.

De tanto antecipá-la em pensamento, hoje minhas palavras me atrasam.

Nem dormindo tenho paz. Acordo cinco vezes por noite. Consulto o relógio a cada duas horas até amanhecer. Despertar é uma vitória, como uma festa ruim que dependemos de carona.

Antes explicava para as pessoas que estava separado. Agora cansei. Se me perguntam de sua presença, respondo: — Tudo bem! — E terminou o assunto. Explicar constrange.

O que mais me atormenta é que os amigos e familiares usam o mesmo bordão para me acalmar:

— Vai passar.

Não é um conselho alegre. Não me tranquiliza saber que terminaremos.

É uma advertência que me desespera. Não gostaria que passasse.

Eles não entendem que não sofro porque o amor acabou, sofro para não acabar o amor.

Sou contrário ao término, me oponho à nossa extinção.

Sou o único que resiste contra o fim de nossa história.

Eu não quero que passe. Mas sei que vai passar.

Sei que o amor vai morrer desidratado, faminto, por absoluta falta de cuidado.

Vai passar, infelizmente.

Tudo o que a gente construiu junto vai passar.

Tudo o que a gente idealizou, inventou e armou vai passar.

O lugar no peito que recebia seu rosto para dormir vai passar.

Nossos apelidos, nossos chamados, nossas piadas vão passar.

Por mais que acredite que seja impossível, irei namorar de novo, me apaixonar, casar e rir docemente sem culpa.

Vai passar.

Não superamos os medos, sucumbimos na segunda crise, desistimos de insistir.

Somos fracos, somos influenciáveis, somos tolos.

Foi muita incompetência de nossa parte.

Não seremos inesquecíveis.

Vai passar.

# CAIXINHA DE FÓSFOROS E SURPRESAS

Minha mulher tinha a mania de colocar os fósforos usados de volta na caixinha.

Assim que riscava, guardava os palitos velhos com os novos.

Nunca colocava fora, apesar da facilidade do lixinho branco em cima da pia.

Nem acho que era pressa, mas hábito. Tentei adverti-la uma vez, duas vezes, até que estava sendo desagradável e desisti (quando marido se assemelha a um pai, é o momento de calar a boca).

Mesmo disposto a me adaptar e não comprar briga, eu me irritava com aquela roleta-russa toda manhã. É evidente que pegava de imediato uma série de fósforos queimados — não sei se você sabe, mas sou o autor da Lei de Murphy na Câmara de Vereadores de Porto Alegre.

O azar me premiava. Jamais retirava de cara a cabeça ruiva da caixinha amarela. Sacrificava preciosos minutos para preservar a chatice da esposa.

Acender incenso, acender fogão, acender vela reivindicavam o suspense do sorteio, a contagem de votos da eleição. E muita paciência para não gritar um bom desaforo ao longo da porta.

Aquilo era ainda mais claustrofóbico para quem aprendeu a tabuada separando grãos de feijão e fósforos. Reproduzia o terror das provas orais, das superações matemáticas.

A caixa não se abria como uma caixa, e sim se aprofundava como uma gaveta desorganizada, uma bolsa de mulher, um armário de solteiro. Solicitava o dobro de cuidado para revirar o fundo e contornar as pontas com o tato.

Eu me enxergava penalizado, diferente de qualquer pessoa normal, que apenas riscava o fulgor e não pensava.

Sofri dois anos com minha indisposição.

Somente hoje reparei que gosto imensamente da dúvida, da possibilidade de colher um fogo extinto ou um fogo vivo.

É uma ansiedade feliz. Uma expectativa pequena, porém agradável.

Encaro o fósforo e confiro se ele tem a pólvora intacta, se vai explodir sua cabeleira loira e azul. Faz sentido, porque liberdade significa manter nossa disposição para se surpreender dentro da rotina.

Presto uma maior atenção na chama, no seu desenho e som. Descubro que o fósforo é um relâmpago em miniatura, tão bonito quanto os raios que cortam os morros e céus. Solto uma risada infantil assim que ele mantém sua auréola firme.

Amar a si próprio é esse movimento: não se resignar, não se conformar com o que foi feito, não mergulhar na repetição desanimada dos dias: olhar cada lembrança de frente e ver se ainda queima. Olhar cada palavra de frente e ver se ainda queima. Olhar cada atitude de frente e ver se ainda queima.

E incendiar a nossa vida na vida do outro.

# MEU QUERIDO AMOR

Nunca escrevi diretamente para você. Sempre havia uma destinatária em seu lugar. Eu abreviava o caminho, não sei se recebeu alguma notícia minha desde a adolescência ou se as cartas nunca passaram pela poça de seu sopro. Hoje coloquei meu blusão verde bordado 38. O prazer da gola coçando a barba me animou — sou movido ao tato. É dia de inverno, próprio para sentar com uma cadeira dobrável no pátio e expor o rosto à enxaqueca do sol. Não me importa que seja obrigado a tomar uma aspirina depois. Dependo de sua claridade inconsolável.

Desculpa, Amor, você não tem nada a ver com o nosso destino. Nós terminamos antes que você termine. É assim. Desistimos enquanto você prossegue. E apenas você, Amor, que irá até o fim, onde deveríamos acompanhá-lo, você vai até a nossa velhice: as mãos concedidas debaixo dos lençóis. Nós ficaremos na meia-idade, os braços pedindo um táxi.

Nós o negaremos secretamente, apesar das pontadas violentas e da saudade dolorida. Negaremos inclusive que o conhecemos, que você é nosso encontro. Seus traços serão coincidências, nunca a soma óbvia dos nossos perfis e lápis de cera.

Nossas dúvidas escondem você. Porque é necessário confiar naquilo que ainda não sabemos. E queremos saber tudo antes mesmo de ter vivido. Nosso nervosismo não tem tranquilidade para aceitá-lo.

Você tem paciência; nós, tempo. Sei que você não se fez sozinho, não posso escrever em seu lugar, você não é o que confio, é o que confio mais o que confia quem eu amo. E quem eu amo não poderá falar por você igualmente. O amor está entre duas conversas, duas ânsias, dois passados. Não é o desejo da direita, nem o da esquerda. É o que está entre os dois. Flutuando.

O amor é se despertencer. É sentir para passar adiante, não é sentir para ficar com aquilo. É não suportar sentir mais sozinho. Eu me desacostumei com a minha solidão.

Pela pressa de ter o amor só nosso, só nosso, somos capazes de destruí-lo com palavras. Não temos nada para odiar naquela pessoa. Estávamos agradecidos pelo espanto provocado pela sua chegada. Irreconhecíveis de felicidade. Na noite anterior, éramos a vontade desesperada de entender. No dia seguinte, nenhuma vontade de compreensão. Não há persistência, há precipitação.

Mentir para uma pessoa não é tão grave quanto mentir para você, Amor. Mas os casais mentem que você foi um engano, um engodo, uma mentira. Chegam a dizer que você não existiu. Você fica perdido entre as defesas e ataques de ateus, céticos, agnósticos, crentes.

Somos fracos e desabafamos o que não acreditamos. Despejamos tanta violência sobre aquele que amamos para provocar. Para desencadear uma reação. Somos cruéis em nome de amor, para não sujar o nosso nome.

Somos imundos, desolados, irascíveis. Por não aguentar alguma coisa não resolvida em nossa vida. Algo aberto, inacabado. Uma fresta nas venezianas e não mais dormimos. Desconfio que nossa curiosidade está toda no ódio. Não toleramos ter que esperar. Se ele ou ela não vem agora é que não me deseja mesmo. Concluímos logo. Feitos perfeitamente para a fúria, incomodados com a brisa.

Procuramos decidir de vez se aquilo presta ou se não presta, se vale ou se não vale. Ansiamos por um veredicto, uma salvação, uma paz. Penso que desejamos a separação para não sofrer mais. Produzimos a separação, é a resposta mais rápida. A resposta mais rápida é vista como a certa. Um alívio para seguir com o trabalho e mostrar clareza aos amigos.

E os amigos bem-intencionados não vão nos ajudar. O que disserem a respeito do que aconteceu não será suficiente, o amor é um dialeto restrito aos dois que se amam.

Não reparamos no principal, Amor. Não reparamos que quando amamos o tempo não faz a mínima diferença. Amar será sempre recente: será ontem. Anos juntos, e a sensação é que foi ontem. Anos separados, e a sensação é que foi ontem. Ontem, ontem. Não há anteontem no amor. As lembranças mais longínquas já são corpo.

É uma pena, Amor, que somos mais decididos do que amorosos. Amar é não decidir. Decidir é terminar sempre.

Aguardo seu retorno.

Abraço

Fabrício Carpinejar

# *O REINÍCIO*

# A PAIXÃO ACONTECE

Se você recusou sua rotina, deixou de fazer aquilo de que mais gostava em nome de alguém, torrou seus bens, abandonou os amigos e os prazeres mais fundamentais, isso não é amor, é paixão.

A paixão é uma fatalidade, o amor é uma escolha.

A paixão é egoísta, o amor é generoso.

A paixão é renúncia, o amor é recomeço.

A paixão arrebenta, o amor adapta.

A paixão é confinamento, o amor é abrigo.

Não há paixão pequena, paixão simbólica, paixão discreta: é grandiosa no início e escandalosa no final.

Não recomendo, muito menos desaconselho: é experiência para os fortes.

Nada do que viveu antes terá sentido, nada do que possa viver depois terá sentido. Conjugará interminavelmente o presente do indicativo.

Atingirá um extremo emocional perigoso: você passa a ser do outro em tempo integral. Conhecerá sua pior crise de nervos, seu mais fundo estresse emocional, seu mais absurdo esgotamento da memória, sua mais humilhante falência financeira.

Uma vez apaixonado, você rejuvenesce 10 anos em 10 horas. Mas, uma vez desapaixonado, você envelhece 10 anos em 10 horas.

A paixão ou é imensa ou não é. Ela não pede desculpa, não negocia: equivale a uma dependência química em seu estado mais selvagem.

É o equivalente ao sequestro de uma vida. A própria vida. Você é o sequestrador e o refém ao mesmo tempo.

Não há desconto, adiamentos, pechincha. A paixão exige pagamento à vista, execução sumária.

Nunca vi nenhum apaixonado transferir compromisso para o dia seguinte, ele somente antecipa.

Não é que a paixão seja rápida, é devastadora, não sobra coisa alguma para continuar.

O apaixonado não abre negócios, mas fecha portas. Não areja a cabeça, não tem grandes ideias, não combate preconceitos, emburrece progressivamente, a ponto de só ter um número para ligar e um lugar para ir.

Ele não tem sangue-frio, não raciocina, não elabora planos, não arruma álibis.

A paixão é um crime malfeito, facilmente descoberto.

Os envolvidos desprezam o mundo, não se importam se estão sendo vistos, se beijam em público, se são casados, noivos ou recém-viúvos, se serão criticados pelos vizinhos e familiares.

O apaixonado joga tudo para o alto e não fica para segurar nada.

Ele não tem discernimento, não lê jornal, perde sua capacidade de decidir sobre a trajetória. Apresenta a superstição de um velho, a intuição de uma criança.

É um idiota sábio. Idiota porque não se defende da tristeza, sábio porque não se protege da alegria.

Não existe mais bom e ruim, certo e errado, esquerda e direita. Não tem sentido julgar. Não tem como se orgulhar do que foi realizado, muito menos se arrepender.

Você muda de personalidade, larga trabalho, descuida da família para se dedicar inteiramente a não pensar e somente sentir.

Não podemos nem dizer se a paixão ajuda ou atrapalha, ela acontece. É uma sorte azarada.

# PONTUALIDADE

Não me importo de esperar vinte minutos com a mão na maçaneta enquanto diz que já está pronta para trocar novamente de vestido.

Não me importo de esperar dez minutos no saguão do cinema cumprimentando conhecidos e tentando segurar o refrigerante e dois baldes de pipoca enquanto vai ao banheiro.

Não me importo de esperar chegar em casa para que me diga quem é o amigo que a abraçou efusivamente na festa.

Não me importo de esperar três horas na salinha do hospital para saber se a nossa criança nasceu.

Não me importo de esperar as longas conversas de sua mãe sobre o meu temperamento.

Não me importo de esperar seu corte de cabelo, que sempre envolve pintura, hidratação e escova.

Não me importo de esperar a aprovação de suas amigas.

Não me importo de esperar nossos filhos regressarem das baladas para me enfurnar em seu cheiro.

Não me importo de esperar que tranque as portas antes de tirar o salto.

Não me importo de esperar que volte das lojas com as sacolas dentro das outras sacolas para parecer que gastou menos.

Não me importo de esperar que faça as pazes com Deus.

Não me importo de esperar quando arruma o armário e doa metade das roupas.

Não me importo de esperar que o filme acabe para namorar.

Não me importo de esperar que devolva as cobertas que rouba para seu lado de noite.

Não me importo de esperar você consultar suas mensagens antes de sair.

Não me importo de esperar sua irritação em dias de chuva.

Não me importo de esperar você nunca me retornar ligações depois das reuniões.

Não me importo de esperar que acorde no domingo, com receio de que fique nublada.

Não me importo de esperar que o ciúme desapareça e volte a me ver como se eu fosse somente seu.

Não me importo de esperar sua TPM.

Não me importo de esperar o melhor momento para viajar.

Não me importo de esperar o tempo que precisa para descobrir que me ama. Ou o tempo que precisa para descobrir que não me ama.

Não me importo de esperar que venha de repente nossa música no rádio.

Não me importo de esperar as revelações de fotografias de sua máquina antiga.

Não me importo de esperar o embrulho de um presente.

Não me importo de esperar suas discussões de fim de noite.

Não me importo de esperar seu beijo de café cortado.

Não me importo de esperar sua ressaca depois da dança.

O que desejo dizer é que não precisa se apressar.

Nunca chegará atrasada porque sempre a estarei esperando.

# FALO EU TE AMO FÁCIL, FÁCIL

Nada acontece por acaso.

Em tudo há um porquê.

Era para a gente se encontrar.

Apague essas frases, largue o curso preparatório de noivos.

Amor não é uma fatalidade, é algo que inventamos, é a responsabilidade de definir, de assinar, de honrar a letra.

Colocamos a culpa no destino para não assumirmos o controle, tampouco sustentarmos nossas experiências e explicarmos nossas falhas.

Amar é oferecer nossas decisões para o outro decidir junto, é alcançar o nosso passado para o outro lembrar junto, mas jamais significa se anular.

É vulnerabilidade consciente. É fraqueza avisada.

É entregar nossa solidão ciente de que é irreversível, podendo nos ferir feio, podendo nos machucar fundo.

Não existe nada mais horrível e mais lindo.

Ninguém nos mandou estar ali, ninguém nos obrigou a nos aproximar daquela pessoa, ninguém nos determinou a começar uma relação.

Não teve um chefão, um mafioso, um tirano, um ditador nos ordenando namorar.

Foi você que optou. Assuma até o fim que é sua obra, inclusive o fim. Assuma que sua companhia é resultado direto do seu gosto, sendo canalha ou santa. Não adianta se iludir e tirar o pé. Não vale fingir e mentir freios.

Amor não é hipnose, passe, incorporação. É você querendo o melhor ou pior para sua vida. É você roteirizando e dirigindo as cenas.

Aquele que tem receio de se declarar não se deu conta de que é o próprio diretor do filme, e que a tela vai mostrar o sucesso e o fracasso de sua imaginação.

Por isso, não tenho medo de dizer "eu te amo" desde o início. O amor aumenta para quem diz "eu te amo".

Se vou errar, eu é que errei. Se vou acertar, fui eu que acertei. Se vou me danar, o inferno será meu.

Falo "eu te amo" já no segundo encontro. Já para assustar. Já para avisar quem manda. Já para estabelecer as regras do jogo.

Falo no calor da hora ou no moletom do entardecer. Amor não surge do além, amor se cria da insistência.

A precipitação é uma farsa. Não há como me adiantar e me atrasar em sentimento que eu mesmo realizo. É bobagem negacear prazos, esperar amadurecer limites.

Exponho minha paixão fácil, fácil. Nem precisa perguntar.

Aprendo a amar amando, para entender que a maior declaração ainda não é o "eu te amo". É quando alguém confessa: "Não consigo mais viver sem você."

Mas isso não é amor, é coragem.

# FAZIA TEMPO

Fazia tempo que não deixava a comida esfriar no prato pelo interesse na conversa.

Fazia tempo que não abria o zíper de um vestido com todo o cuidado para não machucar a pele.

Fazia tempo que não tinha tanta ansiedade de meu passado.

Fazia tempo que não via alguém amarrar meu cadarço.

Fazia tempo que não andava de ônibus dividindo o headphone.

Fazia tempo que não esperava passar a chuva.

Fazia tempo que não procurava fotografias de minha infância.

Fazia tempo que não reparava em casais mais velhos comendo em silêncio.

Fazia tempo que não sofria de compaixão dos bancos de praça.

Fazia tempo que não observava o musgo nos fios telefônicos, ouvia o barulho de lâmpadas falhando das cigarras.

Fazia tempo que não agradecia com desculpa e me desculpava com obrigado.

Fazia tempo que não acordava louco para dormir um pouco mais.

Fazia tempo que o cheiro da pele não se parecia tanto com o cheiro dos travesseiros.

Fazia tempo que não me exibia aos meus amigos.

Fazia tempo que não me curvava aos cachorros de minha rua.

Fazia tempo que o cansaço não me atrapalhava.

Fazia tempo que não decorava os hábitos de outra pessoa a ponto de antecipá-la em pensamento.

Fazia tempo que não me importava em conferir a previsão do tempo e o horóscopo.

Fazia tempo que não me preocupava com o que havia na geladeira.

Fazia tempo que não ria sozinho, sem controlar a altura da voz.

Fazia tempo que não enganchava minhas roupas num brinco.

Fazia tempo que não tinha saudade do que nem iria acontecer.

Fazia tempo que não respondia com perguntas, como se estivesse estudando para o vestibular.

Fazia tempo que não temia o intervalo dos telefonemas.

Fazia tempo que não massageava os pés no colo — os pés femininos são mãos distraídas.

Fazia tempo que não escrevia bilhetes para despertar surpresas pela casa.

Fazia tempo que não curava a ressaca com sexo.

Fazia tempo que não estendia no varal a calcinha molhada no box do banheiro.

Fazia tempo que não dobrava a camiseta com suspiro, ou dobrava o suspiro com a camiseta.

Fazia tempo que não me demorava no espelho, encolhendo a barriga, ensaiando cumprimentos.

Fazia tempo que não mergulhava em silêncio para não desperdiçar nenhuma frase dita.

Fazia tempo que não beijava esquecendo aonde ia e quem poderia estar olhando.

Fazia tempo que não me apaixonava assim.

# A PRIMEIRA NOITE DE QUEM AMA

Na primeira noite, o casal que se vê amando não dormirá de conchinha. A nudez não entregará o sono. Os pés não se cumprimentarão ao final. As janelas não avisarão das horas. Os cabelos não irão boiar nos travesseiros até o amanhecer.

A primeira noite de amor, quando os dois percebem que podem realmente se querer, termina de repente.

Alguém terá que ir embora. Terá que cortar as frases inteiriças. Terá que oferecer uma desculpa furada. Terá que alegar que é tarde e que precisa trabalhar cedo. Terá que chamar o táxi de pé com uma objetividade perturbadora.

Quem se despede será grosseiro. Não esconderá o desconforto. A resposta física é que tudo deu errado, que o prazer não vingou na pele.

O que ficará sozinho na cama acreditará que o outro que se prontificou a se despedir no meio da madrugada se arrependeu do enlace e jamais manterá contato.

Mas o apaixonado e o indiferente são parecidos na primeira noite. O apaixonado se manda porque não suportou tanta beleza, encontrou-se atordoado, dependente, comovido, incerto, vacilante, receoso do seu futuro.

Não se preparou para viajar tão longe em seu desejo, estava vestido para atravessar apenas o tempo de uma noite. Não arrumou as malas de sua memória, partiu desprotegido com a roupa do trabalho.

Quando nos descobrimos amando, a primeira noite é terrível. Se você estava bêbado, logo recupera a lucidez — o amor é a mais cruel sobriedade.

Há uma instabilidade de escuta, uma confusão de conversa, um caos sinfônico. É como recuar um passo após um salto. Perde-se por completo o domínio do próprio gosto, vem a culpa de necessitar ainda mais do desconhecido e a curiosidade de adivinhar o que o sexo esconde em sua violência.

O homem de sua vida ou a mulher de sua vida não vai se apaziguar ao seu corpo e acordar junto na primeira noite. Isso é para os seguros de si, os confortáveis em seus sentimentos, os canalhas, os cafajestes, os sedutores.

Já aquele que pressente um amor de verdade, uma fé de verdade dentro do amor de verdade, abusará das mentiras para escapar do destino. Fugirá derrubando os olhos pelo corredor. Formará um amontoado de frases sem sentido, criará um depoimento qualquer para não alimentar esperanças, jurará com a mão errada sobre a Bíblia.

A primeira noite é própria da transformação covarde, é lua cheia ao lobisomem, é manhã radiosa ao vampiro.

O ímpeto é sair do quarto rapidamente, largar a cena prontamente, abandonar o casaco, a carteira, o que for, mas correr desse inferno que é se apaixonar e esperar uma notícia a cada meia hora. Afastar-se loucamente do cheiro poderoso do pescoço e da boca, da química prodigiosa que nos excita e nos corrompe de delicadeza.

Quem ama não ama na primeira noite. Assusta-se de amor.

## MEU SONHO DE CASAMENTO

Meu sonho é subir ao altar. E uma mulher alucinada gritar do fundo da igreja:

— Não, ele me pertence, eu ainda o amo.

Seria o máximo. O pianista buscaria despistar o pânico tocando Candle in the Wind, tributo à Princesa Diana, de Elton John, haveria uma agitação febril no átrio, burburinho e gemidos frenéticos entre os convidados, o padre se manteria incrédulo, a noiva iria me fuzilar:

— Quem é ela?

Explicaria baixinho no ouvido que é uma antiga namorada sem importância.

Todos os olhos estariam voltados para minha boca, eu roubaria a cena. Finalmente veriam que meu terno preto era Armani, que custou tão caro quanto o véu e a grinalda.

Para manter o suspense, não responderia no ato, giraria o rosto indeciso para o lado esquerdo e direito, como torcedor em partida de tênis. Até emitir a sentença:

— Eu amo minha noiva. Você é passado. Some daqui!

Depois do susto, garantiríamos nosso futuro. Nenhum incidente poderia nos separar de novo.

Ela completaria bodas de ouro comigo, jamais cogitaria a distância, permaneceria fiel vida adentro.

Nada como o pânico para renovar os votos de felicidade. Nada como um dilema para fortalecer decisões.

A reconciliação necessita acontecer antes mesmo da briga. É o medo de perder o par que reforça a nossa entrega.

Orgulharia sua família e amigos ao descartar publicamente uma rival, ao mandá-la embora desprovido de piedade.

Aquilo seria a maior prova de amor. Muito melhor do que ser casto em festa de solteiro.

Receberia a confiança eterna de sua aliança, a cumplicidade delicada de sua fé.

Mostraria que sou o tipo ideal, sério e devotado: não estraguei a festa, não humilhei seu vestido, venci as tentações egoístas.

Deveria existir um serviço para contratar "loucos da igreja". Senhoritas e senhores, disponíveis em books nas agências de publicidade, preparados para protestar no casório.

Contidos no princípio da cerimônia, romperiam o corredor com estardalhaço na hora em que o padre falasse:

"Se alguém tem algo contra este casamento, que diga agora ou cale-se para sempre."

Assim como as carpideiras, recrutadas para chorar em velórios, formariam uma nova categoria profissional, um time de lindos modelos provocando ciúme no noivo e na noiva e apimentando o relacionamento.

Seriam atores e atrizes dramáticos e desesperados realizando uma intervenção amorosa e criando intrigas existenciais.

Todo não pede um sim. Todo governo requer oposição.

Casamento de sucesso depende de torcida contrária.

# DESATINO ESSENCIAL DA PAIXÃO

A paixão é um porre.

Ninguém mantém suas atitudes, conserva suas latitudes.

A paixão é uma pane.

Só vai conquistá-la a partir de constrangimento público, chamando seu par para dividir um vexame.

Terá que convidá-la a dançar na rua sem som nenhum, ou gritar seu nome desesperadamente na parada do metrô, ou beijá-la no meio de um bar como se não houvesse gente alguma querendo passar pelos corredores.

É necessário escandalizar os passantes, é necessário um público incrédulo e invejoso que não entenda o que vocês estão fazendo.

Ambos andarão na contramão da hora e do espaço, isolados na própria alucinação, resguardados pela onipotência do desejo.

O desatino é o pedágio da conquista.

Você vai se ajoelhar numa faixa de segurança, pedir esmola para bancar o engraçado, criar diálogo de marionetes com cachorros-quentes.

É estranho concluir que nos habilitamos para o relacionamento sendo inconsequentes. O conservadorismo não tem chance. A caretice não merece sala.

No amor, podemos pedir a mão ao destino. Na paixão, pedimos a mão dela para mergulhar no abismo.

Será um rompante que sustentará o futuro, determinará o súbito endividamento do passado.

Você pode encarnar um tipo educado, culto, estável, sensível, nada disso contará a seu favor.

O que arrebata a mulher é o quanto pode enlouquecer por ela.

É um desvio de seus bons modos, uma coragem inusitada, um apelo à espontaneidade que definirá o namoro.

Você pode ser o mais retrógrado dos mortais, mas apaixonado sairá da linha e cometerá uma imprudência. Mesmo que seja a única de sua vida.

Todos os casais guardam o dia em que se decidiram um pelo outro. E é sempre uma sandice que será lembrada com orgulho, marcará o motivo de estarem juntos até hoje.

Representará a demonstração de seu desprendimento, um duelo onde a palavra venceu a aparência e a irreverência superou o julgamento moral.

Paixão é quando dissemos: dane-se o mundo, e sigamos com o nosso instinto. É uma breve e inesquecível alforria dos olhos.

Você nadará nu numa piscina, descerá as trilhas de uma floresta no escuro, cantará músicas francesas no muro do viaduto.

É o momento em que os dois provam que estão preparados para a maior loucura que um casal é capaz de experimentar dali para a frente: dividir normalidades.

# O ÚLTIMO TANGO DE MARADONA

O amor não permite avareza. É a regra elementar.

Quem é avarento não ama. Assim como políticos que enriquecem durante seu mandato roubam, os casados que prosperam não se gostam mais. O casal apaixonado está mais preocupado com o prazer da companhia do que enriquecer. Vai comprar uma tevê que o orçamento não autoriza, uma geladeira maior do que o salário e depois encontra um modo de pagar.

Quem ama parcela. E a perder de vista, no mínimo em 48x para ficar mais tempo junto.

Homem devoto é mão aberta. Oferece o que não tem. Privilegia o arrebatamento. Não conta centavos, divide conta e cobra juros.

O namorado/marido que é mesquinho é um falso admirador.

* * *

Vivian concordaria comigo.

Namorava Nei havia três anos.

Ela: jornalista, 37 anos. Ele: engenheiro, 42 anos.

No Dia dos Namorados, armou viagem para Buenos Aires. Meticulosa, intensa, reservou um apartamento na Recoleta.

No mês que antecedeu a data, escolheu os presentes a partir de cuidadosa observação. Lembrou que o hobby predileto dele na infância era jogar futebol de mesa. Encomendou, portanto, um time de botão em madrepérola com as cores do tricolor. Achou um fabricante das peças em Pelotas. Sairia uma nota, mas azar. Também foi atrás da obra completa de Iron Maiden dentro de uma caveira. Custaria 500 dólares. Não tinha condições, porém arrumou um trabalho complementar de revisão de livros na madrugada e descolou a quantia.

* * *

Na Argentina, Vivian desembrulharia o sonho. Quando os dois estavam a sós no quarto, ela se antecipou com os presentes.

— Tchantchantchan!

— O quê?

Ele chorou de emoção. As gotas pesaram nos cílios e rolaram até os lábios.

* * *

Dali em diante, houve vinte minutos confusos de silêncio. Vivian aguardava a sua vez. Sentada, tímida, na ponta da cama.

Ele colocou a música no laptop, enfileirou os jogadores na escrivaninha e...

... nenhuma menção de lembrança para Vivian.

Vivian não falava mais. Com a alegria engasgada. "Será que ele me esqueceu?", pensou.

Nei farejou tragédia no ar e gritou:

— Ah, tenho algo para ti!

Ela não se conteve e bateu palmas, como uma criança surpreendida em seu pensamento mais carente. O engenheiro abriu a mala e pegou, do fundo, um envelope pardo.

"Envelope pardo? O que será? Nunca vi presente em envelope pardo, só propina", ela raciocinou, com medo.

Ao abrir, retirou uma fotografia de Diego Maradona.

Olhou para Nei, embasbacada: o que significava aquilo? Ele sabia que ela não se interessava por futebol.

Deu um voto de confiança e virou a foto, para ver se havia alguma coisa escrita: o autógrafo do craque ou a explicação da brincadeira.

O verso resplandecia em branco.

— Eu comprei uma para ti e outra para mim, não é legal? — ele ainda explicou.

* * *

Ela terminou o namoro naquele lance.

Quem ama não economiza.

# MONALISO

Por insistência dos amigos, Gabriel desmanchou seu penteado de bibliotecário.

Mas não esperava que ficasse tão bonito. A franja lhe devolveu cinco anos e retirou dois quilos de seu rosto.

O fim dos chumaços rendeu benefícios de uma lipo. Arrependeu-se de não ter feito antes.

Levantou-se, radiante, da cadeira branca. Procurava se refletir nos retrovisores do carro, nas vitrines, nos óculos dos passantes.

Orgulhava-se do formato da cabeça, pela primeira vez na vida.

Dormiu feliz na moldura dos travesseiros, com a impressão de ter posado para Leonardo da Vinci.

* * *

No dia seguinte, descobriu que nada do que foi será. Surgiu o redemoinho. Tentou reimprimir o desenho das mechas. Os fios não se moldavam à escova. Gastou cremes e dedos. Consumiu a fé dos hidratantes e a esperança da água.

Esqueceu alguma recomendação do profissional? Não prestou atenção suficiente em suas dicas para conservar o alinhamento? Como baixar o volume?

Desejava manter, todo o dia, o corte exatamente do jeito que deixou o salão.

Telefonou para o cabeleireiro.

* * *

Devo pentear para o lado esquerdo ou direito?

— Esquerdo.

Meia hora depois, voltou a interromper o cabeleireiro.

— Você usou qual escova?

— A Térmica Antiestática.

Uma hora depois, teimou novamente:

— Tenho que botar spray?

— Para não ficar com aparência de cabelo duro, sim.

— Qual?

— Recomendo Charming Gloss.

Na quarta ligação consecutiva, o cabeleireiro desabafou:

— Eu preciso trabalhar, querido. Não posso oferecer assistência técnica 24h.

* * *

A fragilidade súbita de Gabriel revela como o homem emburrece na paixão.

Ele se torna refém de uma mudança feliz, destrói os referenciais da rotina e experimenta período de insegurança máxima. Dependerá agora da aprovação de uma outra pessoa para seguir vivendo.

* * *

O apaixonado não fará mais nada sozinho. É uma criança adulta.

Vacila ao definir suas roupas, determinar o que gosta de comer, o que adora ouvir, o que prefere ler.

Tem medo de melindrar, decepcionar, estragar o início perfeito.

Tem receio de perder o encantamento que vem de sua companhia.

Pede opinião à sua namorada para qualquer assunto.

Não existe ninguém mais vulnerável. Mais influenciável. Mais patético. Mais sublime.

O apaixonado é o corte de cabelo perfeito. E irrepetível.

# AMORES CURTOS SÃO DO INVERNO

Iniciar romance no inverno é barbada. Nem deve contar pontos.

É quando a vida pede mesmo um abrigo antiáereo, o corpo receberá camadas ostensivas de roupa, o tempo fecha e intimida baladas, tudo favorece uma companhia constante para o chocolate, a pipoca e a televisão.

A testosterona diminui com o frio — natural os homens se renderem às mãos dadas nos passeios e aos relacionamentos sérios no Facebook.

No inverno, amor é oportunismo. As festas estão em baixa temporada, os lobos se aquietam dentro da alma dos cachorros. De interação, o máximo que acontece são jantares e viagens com casais amigos. Nenhum marmanjo deseja ser excluído por falta de parceira.

É o momento ideal para engordar, reduzir as exigências estéticas e ter uma confidente para perdoar e partilhar os excessos.

O grande exame amoroso realmente é no verão. A partir de dezembro, abrem-se as inscrições ao disputado concurso público do coração, ao concorrido vestibular dos apaixonados.

Homem tem dificuldade de se apaixonar no ápice do calor. Ninguém em sã consciência pretende se envolver neste período. Ninguém tenciona sacrificar as inúmeras opções do baralho com uma arriscada cartada.

Ele guarda a noção de que é burrice namorar na alta temporada, não há cabimento deixar a pescaria no meio da piracema.

Parte da convicção de que, com uma única pessoa, jogará fora toda a dedicação na academia nos últimos meses para recuperar a forma. Lançará ao mar as latas de suplementos e de proteínas que gastou para repor os bíceps.

A regra é não se prender e jamais inspirar uma sequência de encontros. Vale uma noite com alguém, e apenas uma noite. Duas seguidas já sugerem um caso, três correspondem a um rolo.

Homem enxerga o verão como desforra, suas 1001 noites de solteiro. Prefere ficar numa festa, azarar e recomeçar do zero.

Não ambiciona compromisso. Ele economizou no ano para gastar agora. Procura expor sua forma física, olhar as outras, beber até entortar, não ser controlado em horários, muito menos derrapar em seu próprio ciúme.

Praia e férias são sinônimos de desprendimento: não se incomodar e não ser incomodado, dormir até tarde, não sofrer as ressacas das discussões de relacionamento.

Portanto, se um homem começa namoro no verão é que ele enlouqueceu por você. Está de quatro, acabado, derrubado. Significa uma imolação sentimental, uma autoflagelação.

É totalmente contra seu código de ética e postura. É capaz de perder sua cadeira parlamentar na areia, sofrer CPI dos comparsas do trago.

Oficializar a relação no período requer firmeza de caráter. Ele enfrentará a gozação dos colegas, vai se isolar do circuito das festas mais quentes, fechará suas redes sociais para cortejá-la.

Não é pouca coisa para a tacanha mentalidade masculina. É como um atleta renunciando uma vaga na equipe olímpica do Amor. Terá que aguardar doze meses para reaver nova chance.

Não se ama impunemente em janeiro e fevereiro. É quase como casar. Quase.

# DESSE JEITO

Qualquer mulher apressaria o chuveiro.

Qualquer mulher mandaria me arrumar antes de conversar.

Qualquer mulher abriria barreira com os braços: "Nem se aproxima."

Qualquer mulher teria nojo, olharia de canto para não me enfrentar de frente.

Qualquer mulher torceria o nariz e pegaria uma revista para fingir leitura enquanto espera.

Para que me livrasse de mim, do hóspede incômodo, intruso. Que tranquilizasse primeiro a carne com sabonete e espuma, que arborizasse rapidamente o pescoço.

Qualquer mulher, não a minha.

Ela me enlaça quando chego. Nem me deixa explicar. Agradece que fui recebê-la assim, desajeitado, direto da rua, do compromisso.

Atraída pelo meu cheiro como um animal em extinção.

Aviso que vou me lavar, ela acena que não.

Eu me desculpo dos modos, ela encaixa as pernas na minha cintura.

Mantenho o respeito, ela confessa que gosta da brutalidade, da crueza.

Tento afastá-la, ela xinga que não está nem aí.

Vai me encabulando de anseios.

Diz que é química.

Não respira, fareja.

Persegue cidades em mim.

Repassa seu nariz pelo meu braço, de um lado para o outro, de um lado para o outro, como quem enxágua os traços.

Pede que eu tire as roupas, que venha para dentro. Agora.

# O QUE NOS FAZ DECIDIR A FICAR COM ALGUÉM

O que nos leva a querer passar a vida inteira com alguém é um mistério.

Você pode fazer a lista infindável do que mais gosta de sua companhia e do que menos gosta, mas nenhuma vai incluir a chave do relacionamento.

É um gesto, uma atitude, uma frase, algo que o toca em particular, que fecha com aquilo que procurava inocentemente desde pequeno.

Meu amigo Felipe se apaixonou pelo jeito que a Fernanda colava o brinco quebrado com bonder, mas ele não desconfia até hoje que foi isso.

Casou com ela depois de vê-la consertando a minúscula joia debaixo do abajur.

Ele briga, discute, discorda da esposa, porém jamais vai se separar. Essa cena despertou uma necessidade incurável da presença dela

É o motivo do apego irascível. Existiu um quebranto, uma hipnose afetiva, talvez ele tenha se projetado no brinco (ela tentará me salvar quando me quebrar), talvez tenha se enamorado das suas concentradas mordidas de lábios.

O que posso garantir é que Felipe ficou alucinado de ternura: naquele momento decidiu que ela era a mulher de sua vida. Em seu sangue, gravou o rosto da jovem empenhada em salvar o brinco. Com o piscar das pálpebras, tirou a fotografia fundadora do seu amor, um sudário que preservará seu sentimento toda manhã.

Ele mal sabe que o real motivo de sua emoção está no plastimodelismo da infância. É bem capaz de nunca descobrir. Quando enfrentou catapora aos 10 anos, Felipe suportava sua solidão montando aviões. Grudava as pequenas peças de plástico com cuidado para não borrar a cola e estragar o encaixe. O brinco tornou-se mais um de seus aeroplanos.

Já vi gente que se uniu pelo modo de dobrar o guardanapo, pelo modo de morder uma fruta, pelo modo de gritar de susto, pelo modo de amarrar os cadarços.

Uma observação mínima acorda o inconsciente para sempre.

Quanto maior o amor, mais insignificante a origem.

Aceitaremos o cotidiano a dois sem determinar o porquê. Nossa decisão está baseada apenas na intuição. Um movimento nos ofereceu segurança para seguir em frente e aceitar o relacionamento

Minha namorada tampouco supõe o começo de sua paixão por mim.

Inacreditavelmente, ela me ama pela forma em que tiro a camiseta. Com ambas as mãos, pelas costas, agarrando o tecido pela gola.

Ela acha o gesto protetor, viril, maiúsculo.

As mulheres se despem pela frente, de baixo para cima, levantando a blusa devagar e ritmado.

Como a maior parte dos homens, sou abrupto. Puxo a camiseta com força, livro-me dela, como um animal arrancando a pele.

Chega a ser cômico. E eu pensava que havia conquistado sua afeição com poemas.

# O AMOR É MAIOR DO QUE O ESQUECIMENTO

A mulher esperaria no café. Era manhãzinha, 7h30, véspera de escola e de expediente.

O escritor José Cardoso Pires, no meio do caminho, falou para a esposa que já voltava. Subiria ao apartamento para buscar o caderno de anotações na gaveta da cômoda. Seu moleskine vermelho, talismã de inspirações e personagens súbitos, essencial como os óculos de leitura.

Quando ele foi descer, já no elevador, sofreu um derrame. Um leve desmaio, rápido, tal piscar de olhos. Sentou um pouco no chão, para acalmar os nervos.

Recomposto do choque, ao empurrar a porta da rua, ele viu que algo de estranho e sério acontecera: não lembrava quem era e o que precisava fazer. Foi acometido de uma amnésia total.

Estava esvaziado de referências, jogado a uma infância adulta.

Em pânico, seguiu reto pela multidão, encarando o tamanho dos prédios. Usou os cotovelos para se defender da pressa do turbilhão humano.

Não tinha mais nenhuma recordação viva. Um pequeno derrame apagou a memória, o mapa de seus desejos.

Procurando se enganar e disfarçar o horror, andava resoluto, decidido, para a frente. Percorreu três quarteirões, porém sentiu cansaço, vontade de pensar melhor e organizar as ideias.

Entrou no café, onde sua esposa o aguardava no balcão para beber um ristretto, hábito do casal antes de mergulhar no ritmo alucinado do trabalho.

Mas ele não lembrava que tinha esposa, família, destino profissional.

O que impressiona é que a primeira pessoa que ele procurou depois do esquecimento foi a própria mulher. Recusou outras cinquenta que estavam presentes no local.

Foi falar com a sua mulher. Sorteou seu rosto entre todos. Elegeu seus cabelos castanhos e longos diante de dezenas de candidatos do momento.

Não hesitou em atravessar o salão lotado para cumprimentá-la, repetindo o encontro fundador do casamento de quarenta anos. Assim como no baile da faculdade superou a timidez medrosa e pediu uma dança.

Repetiu aquilo que não sabia.

Ainda que não conservasse nenhuma réstia de passado, aproximou-se dela e perguntou:

— Onde estou? Pode me ajudar?

Ela riu, achando que seu marido armava uma brincadeira, perdoou a piada estalando um beijo em sua boca. Ele se assustou com o gesto.

— Que isso?

— O que foi, amor?

— Amor?

Sim, amor, ele entenderia depois quando recuperasse a saúde.

Amava obsessivamente sua Marina a ponto de se apaixonar de novo e sempre.

Talvez fosse se apaixonar cada vez que a enxergasse. Com alma ou sem alma, com memória ou sem memória.

Seu corpo era um cavalo obediente à dona.

# IMPOSSÍVEL

Você pode usar abrigos velhos e camisas furadas, que continuará linda. Você pode acumular polainas nos tornozelos, que continuará linda. Você pode vestir uma calça boyfriend e anular as curvas, que continuará linda. Você pode calçar sandálias gladiadoras, insuportáveis até no carnaval, que continuará linda. Você pode vir com roupão branco de judô, que continuará linda. Você pode recorrer à boina de Che Guevara e bottons da revolução cubana, que continuará linda. Você pode se travestir de brilhos, lantejoulas e peruca rosa, que continuará linda. Você pode se apagar num maiô preto e recatado, que continuará linda. Você pode se plastificar com capa de chuva, que continuará linda. Você pode cruzar a bolsa no peito, que continuará linda. Você pode mascar chiclete de boca aberta, que continuará linda. Você pode combinar saia e tênis, que continuará linda. Você pode se vulgarizar com unhas e cílios postiços, que continuará linda. Você pode assumir colete com bolsos, que continuará linda. Você pode sumir em pijamas longos e de bolinhas, que continuará linda. Você pode masculinizar seus trajes, engrossar as sobrancelhas, que continuará linda. Você pode cortar seus cabelos, zerar seus cabelos, pintar seus cabelos, que continuará linda. Você pode se cobrir de burca e segredar a penugem loira do pescoço, que continuará linda. Você pode passear de pantufas e adereços infantis pelos corredores da casa, que continuará linda. Você pode pôr calcinhas cor de pele, que continuará linda. Você pode se encher de pulseiras, colares e brincos, que continuará linda. Você pode se furar de piercings e argolas, que continuará linda. Você pode se deprimir, engordar, virar um nécessaire de ansiolíticos, que continuará linda. Você pode emagrecer demais, afinar os ossos dos ombros, que continuará linda. Você pode adotar cicatrizes e barbear as veias, que continuará linda. Você pode fazer tatuagens cafonas com ideogramas, que continuará linda. Você pode cuspir na rua, desaforar no trânsito, brigar com garçons, que continuará linda. Você pode não pintar o rosto, dispensar batom e lápis, que continuará linda. Você pode se sonegar os melhores vestidos, boicotar cuidados, que continuará linda. Você pode parar de dormir, chorar a noite inteira, que continuará linda. Você pode adoecer no escuro do quarto, desistir do mundo, que continuará linda.

Você pode se piorar com todo o ânimo, falir a aparência com todo o empenho, apressar a velhice com toda a juventude, recusar a se colaborar com todo o orgulho, mas não tem como esconder sua beleza.

# FALHA DE CONEXÃO

Todo mundo que começa a namorar não sabe ao certo que namora.

O início é confuso, entremeado de hesitações e receios e pudores e reservas e uma fileira de sinônimos sofisticados para medo.

Puro medo.

O casal demora a oficializar aquilo que já é público. Não quer melindrar sua companhia, muito menos oferecer motivos para receber um fora adiantado.

Eles se preservam do convívio para não cair em tentação, recusam bares e festas para conservar o segredo. Estão loucos para contar aos amigos, mas temem que a fofoca estrague a notícia. Há a crença de que alegria espalhada se transforme em inveja.

Eu não sofro mais desse mal. Detectei a encruzilhada, o exato momento em que o namoro vira à esquerda e não tem mais volta.

É quando um dos dois telefona para não conversar. Para não dizer nada, coisa com coisa.

Suportar o laconismo amoroso é uma das torturas mais angustiantes da existência.

Acompanhe meu raciocínio.

No meio do serviço, ela liga. Por ansiedade, você atende ao primeiro toque. Espera que ela fale oi. Mas não. Ela espaça a voz como se fosse uma amante, uma sequestradora, alguém que não protegeu as teclas e acessou seu número por engano. Dá para escovar os dentes até surgir um tremido par de vogais.

Ela não lhe procurou em função de alguma novidade, para dar um recado, testar a temperatura ou planejar um encontro. Suspenda a objetividade, o mundo físico, a matemática, as operações de trigonometria.

Sua futura namorada ligou para suspirar. Compreenda que ela ligou para que você testemunhe o que ela está sentindo, como uma criança que coloca o fone em direção ao mar e jura que os pais alcançam o barulho das ondas.

Ahhhhh é o som fundador de um papo que não vai acontecer. O telefonema corresponde à sonoplastia da saudade. Prepare-se para variações de um mesmo tema.

— Como você está?

— Meio estranho...

— Eu também...

— Mas é um estranho bom.

— Um estranho feliz.

Um repete o outro, num misto de fragilidade e receio. É um diálogo que medita sobre vazio. Durante trechos inteiros, nenhum fala. Uma conversa exemplar e inédita em que os dois somente escutam. Uma troca de respiros, jogo de vento, intercâmbio de palpitações.

Assim como ela discou sem motivo, o pior vem agora, não há como desligar sem ofender. Depois de quinze minutos de ausência absoluta de som, chega a hora de seguir a vida.

— Você desliga, eu não consigo.

— Não, você desliga, eu não consigo.

— Não, você!

— Você!

— Você!

O amor é uma grande coragem cheia de pequenas covardias.

## VOCÊ ME AMA?

*Para Chiara Civello*

Minha mãe teve um pesadelo. Prestava concurso para Defensoria Pública. Sala lotada de candidatos, nervosismo, lápis afiado.

Ao receber a prova do instrutor, qual sua surpresa ao perceber que a folha contava apenas com as respostas.

— Cadê as perguntas? — ela se desesperou.

O monitor lamentou, mas não tinha como mudar a natureza do teste.

— Só vim aplicar a prova, desculpa.

O perturbador sonho materno é de uma simbologia poderosa. Passamos mais tempo de nossa rotina respondendo respostas do que atendendo perguntas. Perguntamos com uma resposta e continuamos respondendo. Não pretendemos mudar nossas opiniões. Não pretendemos nos despedir de nossos condicionamentos. Não pretendemos remodelar os planos. Somos um bando de certezas recolhendo exclamações.

O mais complicado é aguardar justamente a pergunta, não sair falando de qualquer jeito para qualquer alvo. Mas aguentar o intervalo do dilema, resistir ao silêncio aflitivo da espera, tolerar pensar com os ouvidos.

Pois quem responde perguntas, conversa. Quem responde respostas, discursa.

É uma arte aprender a fazer perguntas necessárias. E ser condizente ao tamanho das questões.

Não ser preguiçoso. Ou excessivo.

Tem gente que recebe uma interrogação pequena e já cria uma tese.

Tem gente que recebe uma interrogação grande e usa evasiva.

Respeitar a proporção da pergunta é amar a curiosidade. É não ser afetado ou pretensioso. É não se vangloriar ou desmerecer a dúvida.

Ir aos poucos ajuizando. Não responder tudo para não ter que responder depois, nem nada para cessar a aproximação. Seguir com a inocência atrevida de uma criança, que provoca o sentido das coisas até despertar a vontade das coisas.

Se sua mulher questiona:

— Você está feliz?

É uma pergunta pequena, que pede que você revise seu dia.

A resposta é:

— Sim, estou feliz.

— Não, não estou feliz.

Ambas pedem um motivo. E uma nova pergunta pequena com olhos nos olhos.

Mas se sua mulher indaga:

— Você me ama?

É uma pergunta grande, que reivindica que você revise toda a história com ela.

É uma pergunta para lembrar muito.

É uma pergunta para explicar com cenas, passagens, lugares.

É uma pergunta que não tem sucessora. É uma pergunta carregada de saudade.

É uma pergunta única, decisiva, maiúscula, com oceano para atravessar de mãos dadas.

Não é uma pergunta, é uma declaração.

Não seja breve. Valorize a cadência das frases. Ela é mais rara de acontecer do que imagina. Nem todos têm a chance de respondê-la.

## O CÂNCER QUE LEVOU SEU AMOR

Meu amigo Antonio ficou viúvo. Sua esposa morreu de câncer de pâncreas. Algo devastador, que derrubou em poucos meses a companhia de temperamento forte, risonho e invencível.

Ele não contou com tempo para se preparar e se despedir. O luto veio como um susto. De repente, depois de 30 anos de casamento, ele acordava sozinho e tomava café sozinho e conversava sozinho e se desesperava sozinho. Antes, até sofrer, sofria com ela.

Sua primeira atitude, assim que depositou seu coração na pedra do São Miguel e Almas, foi limpar a casa, tirar os objetos de Elisa de perto dos olhos. A casa restou pela metade, uma residência casada com móveis de solteiro. Pôs fora as roupas, os cabides carregados de ombreiras, recolheu os vasos e bibelôs, arregimentou perfumes e produtos de beleza, esvaziou as prateleiras. Não esperou para doar para caridade. A dor é puro pânico, egoísta, precisa se libertar da palavra, não consegue ser generosa.

Empilhou caixas e caixas de pertences valiosos na frente do portão, para o lixeiro levar. Em segundos, despachou o que o casal acumulou numa vida inteira. Quando morre a figura de nosso amor, mas o amor não morre, não há o que escolher, tudo é lembrança sangrando de novo, somos crianças mexendo, a cada instante, em cascas de ferida.

Antonio circulava pelos aposentos como um fantasma. Já podia, porém, observar por onde andava. Não tinha que pagar mais pedágio ao tocar em qualquer objeto. A faxina o protegeu dos próprios atos falhos. Ajudava o esquecimento a esquecer.

O espaço dobrou de tamanho e intensidade: vazio, deserto, imenso. Sem nenhuma foto ou quadro na parede. Sem nenhum risco de contato com o passado conjugal.

Mas, ao mexer no armarinho do banheiro e buscar o barbeador, encontrou a escova de cabelos de Elisa no fundo da gaveta.

A escova estava repleta de cabelos da Elisa. Cabelos vivos de Elisa morta.

Ele odiava limpar a escova antes de se pentear, não considerava justo, já que era fruto do descuido dela.

Agora não. Ele começou a suspirar devagar para não chorar. O suspiro é o choro da boca.

Não aceitava que a escova tivesse sobrevivido a sua blitz. Odiou aquele acessório com todo amor e amou com todo ódio.

Nas cerdas da escova, brilhavam cabelos castanhos e longos que ele conhecia como ninguém.

Ele sentou-se no sofá e aproximou o nariz da escova, chegou a raspar a pele, para recuperar o perfume do pescoço de Elisa.

Só que predominava o cheiro de madeira do cabo mais do que o incenso de flor de sua memória.

Como um botânico aflito diante de espécie rara, tratou de tirar um por um os fios da escova.

E fez uma trança dos cabelos de sua mulher morta.

Amarrou a mecha com um laço preto e inspirou longamente sua fragrância. Nebulizou o rosto até reaver o gosto do beijo de Elisa. Nunca o último beijo.

# JÁ ANOITECEU!

O tempo passa rápido para os outros, não para vocês que estão casando. O tempo está vivo em vocês. Minucioso. Detalhista. Obcecado.

É como ficar o dia inteiro em casa. E, de repente, perceber que anoiteceu.

"Já anoiteceu!" é uma das expressões mais bonitas. Já anoiteceu significa que não controlamos as horas. Já anoiteceu é sinônimo de alegria, de esquecer o que há lá fora por aquilo que carregamos dentro.

Casar é anoitecer. É quase a perguntar: "Como chegamos aqui?"

Eu respondo: Vocês não notaram. Apaixonados, não se preocuparam com a janela. Vocês anoiteceram. Um olhando o outro. Preocupados apenas em um olhar o outro.

Está noite lá fora enquanto é sempre manhã para os dois.

Parece que foi ontem, parece que foi na semana seguinte, parece que acabaram de se encontrar.

O amor torna tudo sempre recente. O mais antigo é também agora.

Lembro de uma história de meu avô. Ele era do interior do estado e visitou os filhos na capital. Perante uma escada rolante, não vacilou, como todos faziam na época. Subiu, desajeitado, cuidando para não enroscar os longos cadarços na esteira movediça.

Seus filhos, espantados com a coragem, logo perguntaram:

— Como você não teve medo?

Ele respondeu de bate-pronto, sem modéstia:

— Ora bolas, nada demais, na viagem de carro eu sou a escada rolante da paisagem.

Quando amamos, não reparamos os degraus; somos a escada.

É certo que todos vão envelhecer, menos ele para ela e ela para ele. Guardarão a imagem intocável da primeira vez que se observaram.

Não vão envelhecer, porque o amor perdoa o tempo. As rugas, os vincos, os cabelos grisalhos, nada disso virá para quem ama. Não virá porque um dia ele olhou para ela e se convenceu: nunca mais vou esquecê-la. Ela olhou para ele e se bastou: nunca mais vou esquecê-lo. E aquele rosto apanhado em segredo — como uma água-forte — é uma espécie de resistência.

Vocês podem esquecer que existiram, nunca que se amaram.

Podem esquecer qualquer coisa, até a si mesmos, mas nunca mais poderão esquecer que se amam.

O rosto de um é a promessa de outro. Quando vocês acariciam suas feições, tocam em palavras. E palavras de amor não podem ser apagadas, nem corrigidas. Palavras são destinos.

Tentem escolher uma única lembrança alegre de vocês. Descobrirão que será difícil selecionar. Não há como escolher, não é que faltem lembranças boas, sobram lembranças boas, e ambos não desejam injustiçar nenhuma delas.

Na verdade, a memória do casal tornou-se uma só recordação. Ininterrupta. Perdas, festas, intimidade, risos, suspiros, brincadeiras, dores, superações, tudo está junto. Misturado.

Quando se ama alguém, ama-se a vida inteira daquela pessoa. Inclusive o que não se viveu.

# *SOU ASSIM*

# RETARDADO AOS OITO ANOS

Mãe é exagerada. Sempre romantiza a infância do filho. A minha, Maria Carpi, dizia que eu fui um milagre, que enfrentei sérias rejeições, que não conseguia ler e escrever, que a professora recomendou que desistisse de me alfabetizar e que me colocasse numa escola especial.

Eu permitia que contasse essa triste novela, dava os devidos descontos melodramáticos, entendia como licença poética.

Até que mexi na estante do escritório materno em busca do meu histórico escolar.

E achei um laudo, de 10 de julho de 1980, assinado por famoso neurologista e endereçado para a fonoaudióloga Zulmira.

"O Fabrício tem tido progressos sensíveis, embora seja com retardo psicomotor, conforme o exame em anexo. A fala, melhorando, não atingiu ainda a maturidade de cinco anos. Existe ainda hipotonia importante. Os reflexos são simétricos. Todo o quadro neurológico deriva de disfunção cerebral."

Caí para trás. O médico informou que eu era retardado, deficiente, não fazia jus à mentalidade de oito anos. Recomendou tratamento, remédios e isolamento, já que não acompanharia colegas da faixa etária.

Fico reconstituindo a dor dela ao abrir a carta e tentar decifrar aquela letra ilegível, espinhosa, fria do diagnóstico. Aquela sentença de que seu menino loiro, de cabeça grande, olhos baixos e orelhas viradas não teria futuro, talvez nem presente.

Deve ter amassado o texto no bolso, relido sem parar num cantinho do quintal, longe da curiosidade dos irmãos.

Mas não sentiu pena de mim, ou de si, foi tomada de coragem que é a confiança, da rapidez que é o aperto do coração. Rejeitou qualquer medicamento que consumasse a deficiência, qualquer internação que confirmasse o veredito.

Poderia ter sido considerada negligente na época, mas preferiu minha caligrafia imperfeita aos riscos definitivos do eletroencefalograma. Enfrentou a opinião de especialistas, não vendeu a alma a prazo.

Ela me manteve no convívio escolar, criou jogos para me divertir com as palavras e dedicou suas tardes a aperfeiçoar minha dicção (lembro que me fazia ler Dom Quixote, e minha boca andava apoiada no corrimão dos desenhos).

Em vez de culpar o destino, me amou mais.

Na vida, a gente somente depende de alguém que confie na gente, que não desista da gente. Uma âncora, um apoio, um ferrolho, um colo. Se hoje sou escritor e escrevo aqui, existe uma única responsável: Maria Carpi, a Mariazinha de Guaporé, que transformou sua teimosia em esperança. E juro que não estou exagerando.

# PIQUENIQUE NO QUARTO

Tomo o café da manhã em etapas.

A primeira no quarto, bem apressado, enquanto me arrumo. Com pãozinho fresco e cafezinho preto tirado na hora (nem um minuto a mais na chapa da cafeteira). Em seguida, me encaminho para a cozinha, onde como frutas. Por fim, sento na sala, para ler e-mails e mastigar omelete preparada pela minha fiel escudeira Cleonice.

Faço questão de ocupar todos os aposentos com o café da manhã. A louça fica espalhada perto das roupas que não foram sorteadas para meu corpo naquele dia

* * *

Tudo termina de pernas para o ar: gavetas abertas, livros espalhados, papéis voando.

Sou mais anárquico do que mulher se vestindo.

Residência com mulher se vestindo não precisa de faxina, mas de reforma. O meu caso é mais grave: necessito trocar de endereço.

* * *

A pressa é enamorada da perfeição.

Demoro a realizar o simples. A elegância está em testar combinações estranhas e se odiar no espelho.

Provo dezenas de roupas para voltar a gostar do primeiro conjunto.

* * *

Vestir-se é um agradável remorso.

* * *

A criatividade depende dos lapsos.

Sempre estou alterando o contexto dos objetos. Mudando raízes de lugar. Misturando coisas que não se falavam, como guarda-chuva e violão, azeite e ferro de passar.

Fui puxar hoje a porta do armário e encontrei um pratinho cheio de farelos ao lado da pilha de camisas.

E um copo com espuma de laranja rente aos blusões.

E uma xícara assediando as calças.

* * *

Ri da minha baderna. Como quem compreende que não tem conserto.

* * *

Era uma explicação poética: as roupas comiam em segredo, por isso não me apertavam. As roupas engordavam comigo. Alimentava meus panos para não me sentir fora do peso.

* * *

Também lembrava uma casinha de passarinho, um chamado de floresta. Logo meu guarda-roupa será uma gaiola, com uma ninhada na gaveta das gravatas.

Os passarinhos serão os cabides e levarão as roupas para o Shrek se vestir.

Uma delicadeza abrir o armário do quarto e enxergar um prato com casquinhas e restos de miolo.

O lençol como uma toalha de mesa. A toalha de mesa como um lençol.

Minha casa é um piquenique a céu fechado.

# LISTA TELEFÔNICA

O nome é um espelho. O primeiro e último espelho. A nossa estreia pública, na certidão de nascimento, e o nosso derradeiro aceno das letras, na lápide.

Enxergar o nome impresso foi sempre uma das minhas principais alegrias. Eu sabia que existia, mas era a chance de outros saberem. Vinha como promessa de alguma posteridade, de alguma fama, de algum significado maior.

Talvez a gente viva pelo desejo de ver nosso nome em destaque. É a primeira coisa que a gente aprende na escola: escrever o nome. No meu caso, em intermináveis cadernos de caligrafia.

É o motivo da batalha inicial — de uma guerra sem fim — dos pais por nossa causa: qual será o nome dele?

É uma briga que levamos vida afora, defendendo a grafia em hotéis e documentos e a pronúncia em telefonemas e encontros.

O nome é a solidão, a paz, o ferrolho dos recreios e das corridas, onde nenhum colega pode nos alcançar (terrível quando nos deparamos com um nome e sobrenome exatamente iguais ao nosso, e ainda descobrimos que o gêmeo bastardo é mais rico, sortudo e feliz e que, na verdade, somos o bastardo dele).

Sem nome, não existe destino. Recordo minha concentração obsessiva ao treinar a assinatura para a carteira de identidade, o temor de não repeti-la.

Pense na força do nome nas conquistas. Sem ele, sequer nos alegramos, não há mérito. O nome é a cicatriz da vitória.

Meu nome na toalhinha de rosto do jardim da infância. Meu nome na lista de chamada. Meu nome no boletim escolar. Meu nome no cabeçalho do bilhete de amor. Meu nome no título de eleitor. Meu nome na lista dos aprovados do vestibular. Meu nome no primeiro livro. Meu nome na casa própria. Meu nome no convite de casamento. Meu nome na conta de luz.

Mas o lugar mais importante de todos e o que mais esperei para colocar meu nome, e que hoje não faz nenhum sentido, era a lista telefônica. Antes do Google e dos sistemas de busca, só havia um jeito de encontrar alguém: consultando aquele calhamaço dividido entre as páginas cinza (residencial) e as amarelas (comercial). Não importava que a letra fosse de formiga, de bíblia, imperceptível, que dependia do corrimão do indicador. Quem ali constava desfrutava de respeito, de valor, de dote social. Ter o nome na lista telefônica era a prova incontestável de que havia ingressado na vida adulta. O momento que entrei como proprietário de endereço e telefone não me aguentei de contentamento: Nejar, Fabrício. Página 879 de Porto Alegre. Qualquer trote já identificava como resultado da publicação. Melhorou meu riso no trabalho. Melhorou meu desempenho sexual. Cresceu bigode nas vogais.

Fui mostrar ao meu avô que apareceu mais um Nejar na Lista Telefônica. O décimo primeiro, sublinhei a linha para não me confundir na hora de procurar.

— Olha, vô, aqui! Estou famoso.

— Agora você está igual a todos.

— Ei, por quê?

— Gente comum tem seu nome na lista telefônica, gente famosa tira.

# MINHA INFÂNCIA SOLITÁRIA

Eu era tão sozinho na infância que se aparecesse um fantasma pra falar comigo não ficaria com medo, mas conversaria com ele. Pediria para que a assombração não se assustasse, que saísse debaixo da cama, que viesse descrever os aborrecimentos e desabafar as circunstâncias da morte.

Puxaria uma cadeira para aliviar seu cansaço de atravessar paredes.

Se viesse arrastando correntes, abriria o cadeado com a chave pequeninha do porão, que funcionava maravilhosamente bem com fechaduras desconhecidas.

Olharíamos as ilustrações de Alice no País das Maravilhas e nadaríamos no lago de lágrimas da personagem.

Emprestaria um dos meus três abrigos escolares, afinal, os mortos costumam se vestir mal.

Iríamos juntos, de mãos dadas, para o colégio.

Dividiria minha Pastelina e meu Nescau.

Mostraria qual o banco de pedra predileto do recreio, com vista privilegiada das rodinhas das meninas bonitas.

Poderia chutar pinha no meio da rua: o bueiro seria o nosso gol.

Assistiríamos ao trânsito do banco de trás do Opala amarelo do pai.

Insistiria para a mãe preparar bolinho de arroz.

Ele me ajudaria a escalar árvores e muros.

Perguntaria se ele gostaria de brincar de gladiador com as tampas do lixo.

Teria alguém para andar de gangorra e fazer peso ao meu corpo.

Teria alguém para evitar o fim de pedra dos passarinhos.

Teria alguém para chorar a separação dos pais.

Teria alguém para me confortar nos exercícios de matemática.

Teria alguém que não me acharia estranho, esquisito, monstro.

Teria já alguém confirmado para minha festa de aniversário.

Eu seguraria o botão do bebedor enquanto ele se curvaria ao esguicho.

Ele me avisaria das pedras irregulares da praça.

Jogaríamos miolo de pão para as pombas.

O fantasma seria meu amigo predileto, meu confidente, meu guia de estimação. Muito melhor do que amigo imaginário — ostenta mais experiência.

Jamais recusaria sua visita.

Só esnoba o invisível quem não é carente. Sempre fui faminto de acontecimentos. Sempre fui ouvinte porque não tinha com quem trocar confidências até os oito anos.

Escutava vento, escutava chuva, escutava até o sol.

Vivi um claustro involuntário. Fui um monge mirim. Meus olhos cresceram pelo excesso de palavras por dizer.

Nunca desperdiçaria a chegada de um fantasma. Salvaria a minha solidão.

# FURTO QUALIFICADO

— Você é poeta?

O professor Guilhermino César colocou meu pai numa sinuca de bico. Ele estranhou a provocação, se devia dizer que sim e ostentar orgulho ou responder que não e insinuar covardia. Optou por abandonar a gaveta e assumir os versos.

— Sim, sou.

— Tenho uma pergunta para ver se realmente é poeta. Uma só pergunta.

O pai, então com 21 anos e aluno de Guilhermino, entrou em pânico. Duas ou três perguntas não são perigosas, uma única pergunta é assustadora, parece que é caso de vida ou morte.

— Quantos guarda-chuvas você perdeu na vida?

— Você está de sacanagem comigo, professor.

— Não, querido, me responde, é o grande teste da poesia, não existe outro melhor.

— Acho que perdi mais de vinte.

— Boa média. Mostra que é poeta. A poesia é arte da distração, esquecer as coisas para dar valor às pessoas.

Ouvia essa história de meu pai quando lamentava por mais um guarda-chuva deixado na escola. A mãe me recriminava pela falta de atenção, e ele se envaidecia da minha vocação perdulária. Cochichava alegre em meus ouvidos:

— Você vai longe assim, meu filho.

Era para eu ter virado Goethe na adolescência. Extraviei mais de cinquenta guarda-chuvas antes da maioridade. Às vezes tentava ser uma mãe comigo e me controlar, mas não havia jeito, bastava fechar o cabo que o objeto desaparecia de mim. A existência do guarda-chuva é inviável: seco, não pode ser aberto dentro de casa que dá azar; molhado, é posto de lado para não sujar o chão.

Hoje pode cair o mundo, desabar o oceano na cabeça, que vou para rua desligado do toldo preto. Ando encostado nas paredes. 1, 2, 3, 4, e fui. Pulo as poças a cada contagem e me protejo nas marquises. O curioso é que saio sem nada e volto sempre com um guarda-chuva. Acho que pego daquelas cestas de entrada de restaurante, de recepção de consultório, onde estiver. Não é de propósito, juro, difícil acreditar. Um sociólogo diria que é um ato ideológico: guarda-chuva não tem proprietário. Um neurologista confiaria na tese de que guarda-chuva não tem memória. O terapeuta avisaria que é um ato falho, para me vingar de todos que desperdicei na vida.

A verdade é que não penso, tomo, sou um cleptomaníaco dos bairros Bela Vista e Moinhos de Vento.

Fui ver o cabide, possuo vinte exemplares. Nenhum foi comprado. E não há como devolver. O sol do dia seguinte cancela a reabilitação.

Já imagino o que Guilhermino César diria de mim: coisa de prosador roubar guarda-chuva.

# TAL PAI, TAL FILHA

A paternidade nunca desfrutou de igualdade de condições com a maternidade. Havia uma larga desvantagem nos hábitos, além da gestação, amamentação e de todo o cuidado instintivo.

Não há mais. O Muro da Mauá caiu. Minha filha Mariana, 17 anos, empatou os dois papéis a partir de um singelo gesto. Rompeu o último reduto confessional.

Ela pega minhas roupas emprestado na calada da noite. Assim como fazia com sua mãe.

Desde que ela veio morar comigo, realiza o anarquismo dos armários. Anseia eliminar os biombos, divisórias e formas de governo. Não preserva sequer conjunto novo. Corta etiqueta para usar pela primeira vez. Desrespeita os lacres e a sensação gostosa de estreia do dono.

Leva minha calça, minha camisa, meu terno, meu macacão. Anda furtando, inclusive, a coleção de camisetas de futebol, que eu julgava pessoal e intransferível como cueca.

Diz que é altamente autoritário esse papo de masculino e feminino.

Surgiu com a seguinte tirada no jantar: “Enquanto existir autoridade, não existirá liberdade.”

Não posso culpá-la. O homem deveria ter pensado um pouco mais antes de se declarar metrossexual.

Acordo e vou pegar um casaco: sumiu! Passo uma hora procurando entre os cabides, a cesta da lavanderia, o varal, e nenhum sinal. Reviso os últimos passos da roupa. Rezo o pai-nosso pela metade, questiono a mulher, enlouqueço a empregada, incrimino o esquecimento da velhice.

Sabe o que é escolher uma combinação inteira a partir de uma peça e ela desaparecer de repente? Um lampejo de harmonia posto fora? E a frustração? E o desejo reprimido? Você me entende, Laerte?

Desisto, e me dirijo ao trabalho com a sensação incômoda de que não mando mais em minha vida.

Quando Mariana volta da escola, percebo que ela carrega justamente a roupa extraviada. E parece mais dela do que minha.

Nostradamus ou mãe Dinah não previu isso. Trate de se acostumar. Não reclame que sumiu, investigue direito, está em casa, no outro quarto.

Controlo o ranger de dentes. Demorei uma década para alcançar a guarda, não vale desperdiçar com picuinhas e egoísmo. Não custa nada renunciar às futilidades, preservar os valores e investir no caráter.

Afinal, é o internacionalismo dos botões, é a integração sociolibertária do vestuário, é a difusão global do figurino.

Hoje coloquei a calça de corações amarelos de minha filha. Não esperava que servisse. Entrou certinho. Quero só ver a cara dela ao descobrir.

# TAL MÃE, TAL FILHO

Não é simples conhecer os próprios defeitos. Humildade depende de dupla audácia, primeiro se descobrir, depois se aceitar.

Mantive uma atitude lamentável ao longo da vida (percebi tarde demais, quando o triste hábito já pertencia ao caráter). Minha mulher foi a vítima. Maltratei sua generosidade e explorei sua paciência.

Telefonava para a mãe e entregava o fone para a companheira. De supetão.

Ela não pediu para falar com ninguém. Estava feliz: cozinhando, forrando as gavetas, podando as flores.

Eu entregava sem olhar:

— O que é?

— É minha mãe...

A esposa pegava o gancho, deduzindo que a sogra queria conversar com ela, mas não, eu apenas forcei o encontro das vozes. E a sogra jurava que ela tinha alguma intenção, mas não, tampouco houve interesse.

Eu criava um mal-estar diplomático. O telefone negro bicaria a orelha delicada e inocente da esposa horas a fio.

Eu nem recriminava meu gesto, não me desculpava, considerava normal repassar adiante o problema, afinal o alívio sempre ocupa o lugar da verdade.

Não sabia dizer tchau à mãe e transferia minha incompetência. Não era capaz de cortá-la, com medo da chantagem materna, do jogo sujo, do revanchismo familiar "eu te criei para agora me abandonar".

Telefonar para a mãe correspondia a sair outra vez de casa, justificar toda escolha pessoal, profissional, amorosa e se arrepender das decisões da adolescência.

Até porque mãe italiana não cumprimenta, questiona. Não é um "tudo bem?" normalzinho, mas um fatídico "está tudo bem mesmo?", de quem já recebeu informações privilegiadas.

Até porque mãe italiana faz suspense da fofoca, liga para estranhamente anunciar que não pode contar algo.

Até porque mãe italiana só começa um novo assunto depois de realizar retrospectiva do que foi dito.

Até porque mãe italiana não aceita ser interrompida, e aproveita a culpa para testar o amor do filho. É tentar desligar que choraminga desgraças. Ela é que deve se despedir senão desanda a inventariar maldições.

— Você não me ouve, nunca me escuta até o fim, não respeita os mais velhos, ainda vai me pôr no asilo!

Em desespero, eu largava o aparelho de qualquer jeito e desaparecia. O que nunca havia descoberto é que minha mãe passava o telefone para meu pai terminar a conversa com minha mulher.

# CACHORRADA

Escova de dente é um item de higiene particular. Seguia na merendeira da escola, ao lado da toalhinha de rosto e avental bordados, com o nome do dono colado com durex. Poderia emprestar pente aos coleguinhas, escova nunca.

Mas vá explicar privacidade a um irmão.

* * *

A mãe confundia a partilha, obcecada por harmonias invisíveis (combinava a tonalidade da esponja com os ladrilhos do banheiro ou da toalha com o sabonete).

Ela comprava quatro escovas azuis: turquesa, marinho, calcinha e petróleo. E avisava aos quatro filhos de igual forma:

— Sua escova é azul.

E deu! Sem nenhum parêntese, detalhamento, explicação das diferentes matizes.

Qual azul: a forte, a fortíssima, a fraca, a fraquíssima?

* * *

Acabávamos descobrindo tarde demais que a nossa escova servia a dois senhores ao mesmo tempo, a dois homens, um marido e um amante. Havia indícios contundentes: na primeira escovação do dia, ela continuava úmida. No momento do almoço, surgia estranhamente no box do chuveiro. Não parava no lugar que deixávamos.

* * *

Não me importava em dividir as cáries, não tinha nojo de mim, mas Rodrigo sim, até porque não usava aparelho como eu. Ele fazia careta quando guardava a minha dentadura de adolescente no estojo.

* * *

Acho que tomei sua escova sem querer. Complicado definir o corno da história, e quanto tempo demorou o caso.

* * *

Com as suspeitas, o mano pirou, a ponto de diversificar esconderijos e me perseguir. Eu entrava no banheiro e ele batia na porta, pedia para entrar; um inferno, sempre no meu pé, sempre me controlando, ferrando meus devaneios com as revistas eróticas.

* * *

Sua vigilância se transformou em doença. Colocava pimenta, catchup e mostarda nas cerdas, tudo para me prejudicar por tabela. Desejava me pegar em flagrante e me denunciar aos pais.

* * *

A guerra fria durou de 1980 a 1983.

* * *

Não suportava seu ciúme. Com a mesada, adquiri uma escova vermelha para me diferenciar.

* * *

Em seguida outras cores apareceram no copo terminando a ditadura materna.

* * *

Tristeza é azar. Na hora de lavar o nosso cachorro e limpar sua boca, apanhei uma escova amarela, velha, guardada no fundo do armarinho.

* * *

Não tinha como saber que aquela escova era do irmão, disfarçada de suja para prevenir meus ataques.

* * *

Ele dividiu a escova com o cachorro por alguns meses.

* * *

Meu irmão ainda me odeia por isso.

* * *

Fui visitar sua casa no interior do estado. Ao procurar lenço de papel, encontrei uma gaveta inteira repleta de escovas de dente.

Mais de cinquenta, ele que não é dentista e não trabalha como representante comercial.

* * *

Eu me senti todo culpado.

# O TEMIDO PIJAMA

Não sou fã de pijama. Dispenso o figurino. Nem que seja marroquino, ou de seda mais pura.

Muito diferente de meus amigos, como Mário Corso, alucinado pelos trajes de dormir, disposto a combinar polaina com pantufas. Ele enxerga rigor no conforto, a ponto de confundir o pijama com um smoking do sono, um fraque da preguiça.

Eu não suporto, é meu pesadelo de pano; tenho alergia, urticária, repulsa. A princípio, alego motivo nobre. Assim como os ambientalistas protestam em desfiles de casacos de pele, participo de campanha ecológica contra o fim do homem.

Pijama, nunca. Em seu lugar, recorro ao abrigo macio, mais apropriado e prático. Já acordo vestido, sem o transtorno de me trocar para atender visitas.

Pijama, nunca. Defendo sua extinção como um princípio imutável do caráter. A escolha reflete bom gosto, refinamento de estilo.

Não me faltam argumentos. Pijama não é sensual, traz sempre bolsos para desfigurar o peito com canetas e papéis. Tem um componente broxante, que é uma braguilha sem zíper. Seu uso adoece os olhos, não sei se são as listras ou as cores, algo faz com que seu dono procure o oftalmologista e passe a adotar óculos de leitura.

O pijama corrompe a moda, estraga a aparência, prejudica a libido. Com ele, o homem aceita a velhice, entrega os pontos. Baixa a crista, o queixo e outras coisas mais. É uma castração moral, um canil de botões. Logo mais o sujeito estará assistindo novela.

Além dos motivos mais do que razoáveis, meu preconceito conta com uma explicação científica. Há um trauma vestindo a rejeição.

Meu pai existia em casa até a hora de pôr o pijama.

Quando colocava as duas peças azuis, desaparecia. Evaporava. Partia para ler romances policiais na cama. Trancava a porta do quarto. Como chefe de gabinete, a mãe repreendia qualquer aproximação:

— Não incomoda seu pai, ele está de pijama.

— Seu pai não pode atender, ele está de pijama.

— Tem certeza que não consegue carona com algum amigo, meu filho? É que seu pai está de pijama...

O pijama era o escritório paterno. Seu isolamento. Sua farda militar. Seu esconderijo matrimonial.

Era o mesmo que estar dormindo, o mesmo que estar morto.

Ele continuava pai com qualquer outra roupa, menos de pijama. Escutávamos seus chinelos pelo piso de madeira, o chiado da asma, o ronco, o barulho da descarga, ouvíamos sua voz comentando de manhã sobre algum colega de trabalho, mas não o enxergávamos. Não podíamos vê-lo.

Até hoje, ao telefonar de manhã para o meu pai, em vez de perguntar se ele está acordado, questiono se ele está de pijama.

# O MELHOR SOM PARA DORMIR

A água é uma compositora unânime. Reclama-se da chuva, mas ninguém reclama do barulho da chuva.

A casa de taipa traz a melhor audição. Chuva boa, cheirosa e oleira. As paredes estremecem de manso. Somos postos mentalmente naquele berço de madeira antigo, com base abaulada de cadeira de balanço. A mão líquida acaricia o ouvido e nos embala de um lado para o outro da memória. Na chuva, observar é lembrar. O vento é uma coberta que nos esfria e a constância das notas aumenta a vontade de permanecer quieto no mesmo lugar. Não se mexer é descobrir que a pedra tem suas alegrias.

Ao contrário da crença popular, o telhado de zinco não ajuda a sinfonia. A hipersensibilidade da superfície atrapalha. Garoa vira tempestade, gota vira grito. É uma invasão, não uma visita. Não diferenciamos as cortinas d'água com as pancadas dos raios. Já vi criança estressada, com insônia, pedindo para ficar na cama dos pais.

Cada um acalenta sua caixinha de ninar. Uns com bailarinas, outros com ogro.

Rodrigo, irmão mais velho, tinha uma queda por furadeira e martelos. Amava a casa quando entrava em reforma. Com o agito interminável dos pedreiros pelos corredores, a mãe queria pernoitar em hotel, ele insistia em ficar. Confortava-se com o mundo em construção.

Grande parte dos meus tios dormia com a tevê ligada. Meu pai não renegava a raça, adorava o chuvisco do canal fora do ar. Isso explica hoje sua dificuldade de relaxar. Não há emissora que não tenha programação 24h. Morreram até as barras coloridas do fim da programação. O tempo da televisão aberta foi seu paraíso, deitava no sofá para matar tempo e matava realmente toda noite.

A filha Mariana, quando pequena, se acalmava com a lavadora. Era seu ninho de peixes, seu aquário. Ela pegava seu travesseiro e escorava na parede da área de serviço, hipnotizada pelo movimento circular da espuma e das vestes. Nada a divertia tanto, nenhum brinquedo musical, nenhum móbile. Suas pálpebras pesavam com o giro, a íris mergulhava na consistência azul do amaciante. Só despertava no momento da centrifugação. Lembro que ela fazia questão de sujar muita roupa, para desencadear duas lavagens por dia.

O que me tranquiliza é máquina de costura. Sou o menino que não deixou a sala da avó. A Singer costurou meus ouvidos por dentro. Ela chamava a máquina de gata preta. Cochilava com o vaivém dos bordados. Elisa pedalava sem parar, me levava em sua garupa para o reino acolchoado da primeira pessoa, dos lençóis e fronhas com iniciais e das toalhas com nomes. Sonhava bonito. Fundo. Nítido. Somente encontro um som semelhante ao pousar a agulha no disco de vinil O início tremido parece o de minha avó trabalhando. Meu sono mora um pouco antes da música.

# NOTÍCIAS DE MEU PAI

Não leio jornal amassado.

Sofro quando alguém pega o jornal antes de mim. Faço questão de resgatá-lo do capacho para não sofrer ameaças.

Separo delicadamente os cadernos, pego minha xícara de zebra do café e viro as folhas com cuidado cervical.

É um dos meus melhores períodos da manhã. Estou ajustado ao tempo de meu pai como o pássaro no fio telefônico. Nada me separa do passado. Todo Transtorno Obsessivo-Compulsivo é uma vontade de preservar um amor antigo.

Eu briguei muito na minha infância com a figura paterna. Foram três anos de apelações e competições silenciosas, dos oito aos 11 anos.

Meu pai, Carlos Nejar, não tolerava ser o segundo na leitura do jornal. Só que ele transformava o papel em lixo em rápidas pinceladas. Desleixado, dobrava as páginas, derrubava manteiga, rasgava as manchetes interessantes, sublinhava trechos inquietantes, mudava a ordem das páginas, a ponto do jornal ao final aparentar a maquete de um castelo.

De suas mãos, o jornal vinha como um bolo de noiva — faltava somente a bandeja. A editoria de esporte namorava a de política, a de cultura se esfregava com a economia. Impossível uma criança ajeitar a numeração, pedia o trabalho profissional de uma bibliotecária.

Herdar a leitura do pai era uma calamidade. Isso quando ele não levava ao banheiro, aumentando ainda mais nosso índice de rejeição. Eu e meus irmãos tínhamos motivos de sobra para sermos analfabetos e desinformados do mundo.

Sensível com a ilegibilidade do papel, a mãe passava ferro. O esforço não compensava muito, a gramatura ficava ressecada, como livro de sebo. Com certeza, o jornal que embrulhava os ovos na cozinha estava mais conservado do que aquela edição do dia.

Por ódio à rotina, encampei a condição de desafiador da hierarquia familiar. A ovelha negra do rebanho do Nejar. Comecei a acordar mais cedo do que o pai.

O entregador deixava o jornal pelas 5h30, o pai levantava às 6h, eu me antecipei dez minutos.

Durante um mês, li primeiro. E ainda fazia a questão de oferecer algum suplemento ao pai para diminuir sua ansiedade.

Mas ele se antecipou aos meus dez minutos e recuperou sua realeza no mês seguinte.

Mas eu me antecipei aos seus dez minutos e controlei a pole durante quarenta dias.

Até que, sem percebermos, nos encontramos 5h20 da madrugada. Eu e o pai de pijama, juntos na varanda da casa, sentados na escada. Ambos se adiantaram demais à missão.

Quietos, nos emocionamos com o barulho do alvorecer nas calhas. Os cachorros cantavam no lugar dos galos, o vento serrava as fechaduras dos portões por novas chaves.

E acho que seguramos nossas unhas por alguns minutos nos frisos das lajes.

Pena que o entregador do jornal chegou e estragou nosso momento.

# COMA!

Adoro ficar bêbado em festa de criança.

Calma, não é arruaça, desvio de personalidade, fantasia sádica. Não tomo nenhuma gota de álcool. Nem precisa.

O doce embriaga. Não há maior porre do que comer açúcar.

Brigadeiros e branquinhos são um coquetel imbatível, provocam tonturas de carrossel.

Realmente perco o equilíbrio e os dentes amolecem.

Os amigos desconfiam, acham que não contei a verdade e que estou grogue ao bebericar escondido. Como explicar que foi o papo de anjo?

A glicose tira o chão dos pensamentos. Superior ao teor alcoólico do uísque, acima das doses caubói de Jack Daniel's.

Não atino os pensamentos, o raciocínio desemboca impreciso.

Aniversário de criança é uma farra. Não existe engradado de cerveja que provoque um estrago igual. Diante do bolo temático, absinto é refrigerante.

Com 10 forminhas azuis amassadas no bolso, destilo sinceridades, compro briga com os pais, questiono o método Piaget da escola.

Doces mudam a correnteza do DNA. Entregarei hábitos secretos de parentes, esnobarei primas, afundarei em bobagens.

Doces retiram a serenidade. Respiraremos somente com a boca. Todos que saboreiam guloseimas apresentam desvio de septo imaginário: prendem o ar, mascam o suspiro.

Duvida de mim? Repare nos meninos e meninas correndo de um lado para outro.

Os pequenos também terminam embriagados dos confeitos. De onde extraem aquela energia ruidosa, aquela gritaria de reformatório, se não das camadas em espiral do leite condensado? Transformam o pátio em guerra de vogais. Pulam corda, jogam futebol, não cansam nunca, não desistem de suar.

Minha barba é feita de fios de ovos, os olhos são camafeus, e confundirei quindins com vitórias-régias. Posso nadar no vento, posso atropelar garçons.

O doce traz o mesmo efeito de uma bebedeira.

Destrato convidados, passo a rir por qualquer frase para disfarçar o interesse pelo próximo doce, e pelo próximo, e pelo próximo.

As pernas cambaleiam depois de enfileirar bandejinhas sortidas. Os lábios enegrecem com o batom negro do granulado, assim como o limão e o sal formam a maquiagem da tequila.

Na primeira mordida (quase escrevo "no primeiro gole"), pressinto que irei longe, que não terei controle sobre o apetite, que apagarei no sofá com o cofrinho aparecendo.

Como sei que entrarei em coma açucarado? Vou gemer. Ao pecar, o alcoólatra geme, o chocólatra geme.

Não me convide para festa de seu filho. Sou o típico sujeito que rouba doce de criança e não se arrepende.

# O DIÁRIO ROSA E O LIVRINHO NEGRO

Não existe segredo quando escrito.

Minha irmã Carla, 14 anos, mordia a caneta Bic e arredondava a letra em seu diário. Passava horas a fio com o caderninho rosa, acolchoado, formato de coração. Ela nunca nos permitia folhear, muito menos ver onde guardava.

Eu e os outros três irmãos queríamos descobrir o que ela escrevia. Devia ser o namoro proibido no portão, os beijos na boca, as juras e promessas eróticas e tudo aquilo que provocava risinhos quando ela cochichava com suas amigas no recreio.

Irmão foi feito para denunciar; não fugíamos à regra.

Um dia, quando ela estava no dentista, destrancamos a veneziana e pulamos a janela para investigar seu quarto. Abrimos todas as gavetas, remexemos as roupas, torturamos suas bonecas. Óbvio que as barbies eram mulas do tráfico do amor, conheciam o paradeiro e não entregavam sua dona.

Encontramos o embrulho quase desistindo da tarefa, no fundo falso da escrivaninha.

Nem abrimos, entregamos diretamente aos pais — ainda dizendo que Carla pediu para que eles avaliassem os erros de português.

Nossos pais viram tudo, menos os desvios de concordância. Carla apanhou, chorou, ficou de castigo.

Eu ri a princípio, depois me arrependi da maldade.

Para me retratar, decidi fazer, então, um diário. Redigia duas ou três linhas sempre antes de dormir, como uma reza profana, e mantinha minhas confidências distantes dos manos.

Se eles descobrissem, estava ferrado. Evidente que não me poupariam do vexame e repassariam o objeto para a censura familiar. E queimaria na Inquisição da churrasqueira.

De madrugada, quando ninguém me enxergava, confiava o meu livrinho negro, com desenhos de caveira, na fronha do travesseiro. Miguel ou Rodrigo, um dos dois, fingiu dormir e desvendou o esconderijo.

No dia seguinte, pedi de joelhos que me devolvesse, implorei que não mostrasse aos outros, ofereci minha coleção de bolitas de gude, nada contentou a dupla.

Meus pais me chamaram para conversar. Fizeram questão de ler alto a todos o que estava anotado em meu diário.

"Adoro lavar a louça e varrer as folhas do pátio, minha mãe precisa de ajuda para não envelhecer."

"Meu pai tem sido um bom conselheiro, quero ser igual a ele no futuro."

"Os irmãos são anjos que me protegem dos tropeços na escola."

"Nada melhor do que uma missa para começar o domingo."

Fui extremamente elogiado, paparicado, reverenciado. Meus irmãos tiveram que me engolir como exemplo durante anos.

Coloquei minhas mentiras no diário para viver as verdades em segredo.

Literatura é confundir. Ou você acha que isso que escrevi também é real?

# PREGO

Mudei de apartamento. Após meses abrindo caixas e sorteando relíquias, o imóvel estava pronto, limpo, encerado.

Meu mundo tinha novamente gavetas vazias para serem preenchidas. As estantes não pecavam pela superpopulação carcerária. Acabaram-se as filas duplas, o amontoado da pressa, o engarrafamento do escuro.

Não dependia dos subterrâneos dos sofás e camas para guardar a bagunça. Poderia encontrar o passado em minutos.

Reinava uma paisagem despojada, zen, iluminada. A residência fez uma cirurgia de estômago e tirou um edifício de dentro.

Mas senti falta de algo que não entendia bem o que era. Até que recebi dois quadros de um amigo.

— Os quadros? Onde estão meus quadros? Como fui me esquecer?

Não contive a saliva, babava empunhando a foice e o martelo: os quadros! Faria uma revolução comunista nos corredores. Acelerado como um poço petrolífero.

Arrumei uma escada com o vizinho e fui marcando os pontos de perfuração com um lápis. E apagando. E apagando.

As aquarelas e pinturas não combinavam com a decoração. O mesmo que enfiar um MASP numa pousada. Nenhuma moldura tinha lógica. Optei por forrar a casa de prateleiras e as raras frestas não deveriam ser ocupadas, voltaria ao crime da sobreposição, renegaria os pagamentos da arquiteta e da decoradora, desprezaria o minucioso aproveitamento da luz.

Por que diabos me tornei profissional do lar?

Meu caos intelectual não tinha amparo na ordem da aparência.

Vivi uma grave crise de identidade. Para me acalmar, coloquei uma bala soft de abacaxi debaixo da língua, rivotril de minha infância. Não me tranquilizei. Parti ao Plano B. Convidei a mulher e os filhos para almoçar no restaurante Copacabana. Uma macarronada ao sugo me salvaria.

Descartei o avental, o guardanapo, o escudo da guerra. A selvageria sempre me educou. Pretendia me sujar a sério, manchar a gola, espirrar molho vermelho na camisa imaculada e engomada do Gênoa.

A sujeira no almoço é uma libertação. Ao final, já estaria rindo e comendo na própria panela.

Não veio recompensa. Ao espiar os lados, lacrimejei de inveja, aquele miado de homem que desaprendeu a chorar.

As paredes do restaurante italiano estavam todas cheias de retratos, bandeiras de times, fotos de clientes, santos, dedicatórias de artistas. Uma opulência palaciana. Não existia sequer espaço para cupins.

Todo restaurante italiano é assim: uma Capela Sistina da família, um brechó de vivências.

E os quadros iam até o teto, não se restringindo à altura média dos observadores.

No centro do salão, eu media o tamanho de minha carência.

Sou igual, desejo logo viver para esnobar lembranças. Gringo só gosta de presente que pode exibir aos parentes.

Gringo não se importa com a simetria, procura o escândalo, a vastidão do grito.

Não há meio-termo. Amor sem ciúme não serve. Amizade sem boemia não serve. É tudo ou nada para já.

Eu sufoquei o sotaque. Aniquilei a cafonice com a elegância do mínimo.

Casa de gringo é ensaio para armazém, é rascunho de mercado de pulgas.

Gringo que é gringo não tem paredes, mas altar. Expõe sua história para agradecer, entende cada imagem pessoal como uma vela, uma oferenda, um obrigado.

Ele não conhece tinta branca; a brancura causa repulsa, é inexistência de Deus, ausência de inspiração, covardia.

Gringo é barroco, colorido, biográfico. Não descarta um mísero mimo. Ao receber um pôster da Dinamarca, prega na madeira. Ao receber um cartaz do filme *Bambi*, prega na madeira. Ele não escolhe, acumula. Coleta seletiva para o gringo é traição; esquece apenas quem lhe virou as costas.

No fundo, italiano tem medo de morrer sozinho, sem nada para mostrar. Tem medo de morrer de fome emocional.

Gringo que é gringo come com os olhos.

# AMIZADE É UM TRAVESSEIRO

Não sou preguiçoso, mas exigente. Os esportes me cansam fácil. Não me prendem a atenção.

Eu me inscrevo na musculação e desisto no segundo mês. E me inscrevo na plataforma e já não apareço na quarta semana. E foi igual com tênis, rapel, remo.

Compro as roupas, os acessórios, espalho minha mudança de espírito aos quatros ventos, posto fotos nas redes sociais e abandono o projeto logo que perde a novidade.

Apesar de me entender, não suporto mais a culpa e as excessivas explicações em casa.

A família me critica abertamente, chama atenção da minha flacidez, da atrofia dos braços. Filhos tiram sarro, dizem que a minha barriga é tanque de lavar roupas. Esposa lamenta a fraca insistência. Pais debocham do dinheiro posto fora. Acordo e durmo sob fogo cruzado de acusações da minha má vontade.

Tomei uma atitude definitiva, superior à cirurgia de estômago e visita a candomblé.

Convenci Mário Corso a me acompanhar nas atividades esportivas. Com uma amizade, é mais fácil acordar cedo. Um telefona para o outro, revezamos caronas, relatamos as melhorias da aparência.

Ele seria meu nobreak. Quando minha energia caísse, seu incentivo me ajudaria a ficar de pé. Seguraria a barra nos frequentes apagões de personalidade. Permitiria o tempo necessário para meu cérebro permanecer estimulado até reaver a eletricidade.

Nos matriculamos na academia da Praça Tamandaré.

Era outra história. Como não tinha pensado nisso antes? Um amigo termina com a solidão dos aparelhos, espanta a tristeza dos halteres descascando nos cantos (como são melancólicos os halteres perdendo a pintura!).

O amigo é o nosso mais leal espelho. Teria alguém para trocar impressões sobre os colegas e professores, faríamos piadas sobre nossas obsessões, seguiríamos a vida com a disposição de velhos cúmplices.

A imaginação já me esculpia num novo Anderson Silva, eu fecharia meu umbigo com o inchaço dos músculos. Adeus, pneus, que serviam de balanço ao meu amor.

Nos primeiros dias, foram de arrepiar. Reavi a adolescência. Acordava furando as nuvens como uma britadeira. Tomava suplemento de vitaminas, queria correr nos finais de semana e jogar futebol noite sim noite não. Um Sansão careca, como nunca se viu no cinema e no bairro Petrópolis.

No início, acertamos o encontro direto na academia. Sem erro. Transcorreu um mês e inventamos de confirmar por telefone. Qualquer abandono de causa surge quando um dos dois pede confirmação por telefone. É criar uma condicional para a inércia acabar com a reabilitação.

Corso me ligava de manhãzinha, pelas 6h.

— Acho que não vou hoje, está frio.

— Então, tá, eu também não vou, para não deixá-lo atrasado nos treinamentos — respondia.

— Combinado.

Toda manhã, Corso me telefona avisando que não irá por algum motivo: dormiu tarde, sobrecarga de trabalho, visita da sogra.

Nem mais estamos inscritos. Mas ele é leal, continua ligando. Atendo como um despertador, concordamos em dormir mais, abraço minha mulher de conchinha por mais uma hora.

Nada como um amigo para me ajudar a não fazer nada e não arder de remorso junto aos familiares.

Hoje ponho a culpa nele.

# SALINHA

O cheiro é meu alfabeto.

Esqueço nomes, não apago cheiros. Esqueço rostos, não abandono cheiros.

O cheiro é minha memória.

Não há como repetir certas fragrâncias: a da merendeira, por exemplo. Precisaria alternar maçãs e bananas, reeditar a porção certa de queijo, de manteiga e de mortadela dos sanduíches preparados pela mãe, refazer a umidade precisa do guardanapo que envolvia o pão e derramar o Nescau na hora de desenroscar a pequena térmica, durante cinco anos seguidos, para alcançar algo parecido.

O cheiro me explica, o cheiro é que me puxa. Revisei os principais cheiros de minha vida — o do cabelo de minha mulher após o banho, o do estojo de lápis de cor, o do balcão do armazém do Seu Zé, o do lençol novo de hotel, o de estofado de carro zero, o do forro das gavetas — depois de visitar a Escola Estadual Leopoldo Tietbohl, em Porto Alegre.

Entrei na biblioteca para uma palestra e respirei fundo o ambiente das prateleiras de metal, das cartolinas e do universo retangular das mesas e cadeiras creme.

Levei um soco do vento, um solavanco.

Foi uma nebulização mais do que um acesso nostálgico.

Eu tenho uma biblioteca imensa, tenho amigos com bibliotecas imensas, pais com bibliotecas imensas, mas nenhuma delas tem um cheiro semelhante ao da biblioteca da escola.

As residências exalam um olor de visita, de horário marcado. Uma lufada impessoal de escritório, lustra-móveis, ar-condicionado. Apesar das estantes forradas e do convívio familiar, não é o cheiro da salinha de livros do colégio.

Não identifico o que existe de diferente. Mas vejo, sinto, confirmo a diferença.

Será que a passagem de milhares de alunos muda a textura das paredes? Que cheiro é aquele? Uma mistura de ventilador, de mimeógrafo, de papel secando, de bala azedinha... Um cheiro inexplicável, doce e salgado ao mesmo tempo, como alguém que mastiga bolacha de sal e bebe refrigerante.

Todas as bibliotecas de todas as escolas do mundo têm o mesmo cheiro. Pode ser a pressa das vozes ou as mãos suadas dos alunos nas páginas ou a combinação entre avental e uniforme ou a caneta falhada na ficha catalográfica ao final dos volumes ou a manta da bibliotecária ou seus suspiros por um amor platônico.

Ou pode ser que não entreguei algum livro emprestado e agora pago multa com as palavras.

# ANEL DE LATA SERVE DE ALIANÇA

Uma moeda antiga, uma almofada de alfinetes, uma pulseirinha colorida.

A gente se prende a uma coisa pequena, insignificante para o mundo, especial para nós. Não há como esclarecer o sentido da devoção.

É algo que combina com a alma mais do que com o corpo, que gira nas mãos como uma chave do pensamento.

Na infância, guardava uma pena de ganso dentro do estojo. Ai se algum colega tirasse do lugar. Minha irmã Carla usava uma correntinha de coração. A bijuteria barata seguiu pelo seu pulso vida afora. Nunca trocou por nenhum brilhante.

Eu senti o apego durante um voo de volta a Porto Alegre. Estava com um terno cinza, retrô, escrevendo no caderninho e, de repente, a caneta estourou. Demorei a perceber sua ação. A ponta transformou-se num soro, pingava cada vez mais grosso. Uma mancha de petróleo se espalhou pelo mar de linho. Eu me desesperei, peguei os guardanapos e comprimi as áreas atingidas pela tinta. Pedi ajuda para a aeromoça, que me alcançou um pano com água quente.

Redundei a poça ao esfregar o tecido, pichei sem querer as próprias roupas. A aeromoça me aconselhou:

— Por que não põe a caneta no lixo?

Apesar da sujeirada que causou, segurava a esferográfica o tempo todo. Protegia aquela peça suicida, de veias abertas.

— Por que não põe a caneta no lixo? — a aeromoça agora levantava a cesta, quase me ordenando.

— É verdade — disse, mas não a descartei. Bateu uma impotência. Fiquei com compaixão da caneta, do que ela havia anotado comigo, de sua fidelidade à minha letra.

Abandonaria o objeto quando ele mais precisava de mim. As roupas sujas não me doíam, mas a caneta gritava, era um osso de meu dedo. Porque ninguém iria se importar com ela, a não ser eu.

Sempre foi dessa forma: a caneta explodia em meu bolso e ia socorrê-la, alheio ao estrago que produzia em mim. Poderia ser uma Mont Blanc ou uma Bic. Não é pelo preço, e sim pelo misterioso valor emocional.

Se já temos uma relação obcecada e incompreensível com um simples pertence, imagine a loucura que é o nosso gosto amoroso. Desisti de justificar a um amigo o que sinto por uma mulher. Amor é muito pessoal. Não se explica. Não requer motivo. Talvez aquilo que seja o inferno para os outros seja o éden para mim. Nem procuro mais disfarçar as manchas.

# CÚMULO DO AZAR

Se nascer fosse por sorteio, não estaria aqui. Nunca venci nenhum. Nem rifa na escola. Muito menos de galeto de igreja.

Acho que me faltou traquejo popular, arruda, figa, reza braba, assistir ao Silvio Santos e seu baú da felicidade. Careci de treino. Quando pequeno, não jogava bingo com cinamomos. Quando adolescente, rompi corrente de cartas e e-mails, os remetentes não me perdoaram e amaldiçoaram minha caixa postal.

Não levei tevê, geladeira, máquina de lavar das contribuições mensais para entidades carentes. Por mais que levante a carteira de sócio no estádio, a camiseta do time não pousará em meu armário.

O vizinho Geraldo arrebatou uma bicicleta de rede de lojas. Minha mãe arrecadou um liquidificador do Pão dos

Pobres. O tio Otávio foi escolhido para uma viagem a Porto Seguro com acompanhante.

Há sempre alguém perto de mim que teve um tiquinho de bênção, um naco de fortuna, uma fatia de torta do destino.

Não desprezaria grampeador, caixa de lápis de cor, passeio no Cisne Branco. Qualquer prêmio para esnobar aos amigos e familiares. Qualquer oferta, para dizer que os dias não são iguais.

Mas sou um azarado. Vivo colocando cupons em arcas transparentes nos shoppings, guardando notas e números, conferindo extrações da Caixa Federal, mas carro zero não entrou em minha garagem. Sorteio de livros em lançamentos não vem para mim, sorteio de ingressos na rádio não encontra meu nome. Numa festa de aniversário, todos receberam brindes, menos eu. Sequer ganhei um final de semana num motelzinho de estrada.

A sorte não brinca comigo. Eu me vejo como resultado da insistência. Não espero facilidades e recompensas do acaso. Trabalho desde cedo para me aposentar tarde.

O que não merecia era ser traído pelas promoções de restaurantes e locadoras.

Minha ambição: completar 10 locações para merecer um filme grátis. No momento em que partia para o último X, a locadora fechou. Aquilo me magoou. Quase depredei o local. Fui contido pelos amigos imaginários.

No restaurante Parrila del Sur, repeti o feito. Talvez demore meses para preencher os quadradinhos, sei lá; quando fui descontar a dezena, não existia mais a oferta. Arre, é muito olho gordo, coincidência lazarenta.

Triste mesmo é ver que fui sorteado apenas pelo Imposto de Renda para a malha fina durante seis anos seguidos.

# NINAR

Meus filhos sempre me fizeram dormir antes deles. Os dois: Mariana, 19 anos, e Vicente, 11. A sensação é que combinaram o crime na infância; um transmitiu a receita para o outro aproveitando a diferença de oito anos.

O mistério me atormentou, e escondi a informação de que adormecia primeiro. Era uma vergonha familiar, nunca seria perdoado.

Precisava me livrar desse segredo maldito.

Foram duas décadas de vexame no quarto. Depois de embalar e cantar, eu deitava um pouco ao lado de Vicente (década de 2000) e da Mariana (década de 90) para fingir que estava dormindo. E realmente adormecia. Não captava a origem do feitiço. Achava que fosse a respiração cheirosa ou a pele macia ou os barulhinhos engraçados da boca. Fracassava com o dever amoroso — não poderia ter deixado aquela adorável criatura me ganhar. Toda noite pedia uma revanche, e novamente perdia.

O que desvendei há pouco foi a tática de guerrilha das crianças. O caminho da Sierra Maestra de Fidel Mariana e Vicente Che Guevara. E, asseguro, que não está na enciclopédia "A Vida do Bebê", de Rinaldo De Lamare, muito menos nos arquivos da CIA.

Minha vulnerabilidade reside na orelha. A orelha é o nosso sonífero, queridos pais. O éter no lenço. Nosso ponto fraco. Os pequenos encontraram a caixa de luz de nosso corpo e só tiveram o trabalho de baixar o interruptor.

Qualquer marmanjo, qualquer diva tomba.

O nenê segura de um jeito incrível a nossa orelha. Apagamos no ato. Há um método histórico, a criança coloca uma força precisa, nem fraca nem forte, que não tem como reagir, a orelha ferve devagar, como uma timidez de fundo de sala de aula; a orelha fica quentinha, calma, segura; a orelha chama o travesseiro.

A mãozinha derruba o pavilhão auricular. Não inventaram uma cantiga de ninar à altura.

A façanha é digna de acupunturista: o bebê tapa o nosso ouvido, nos protegendo do frio e do vento, e ainda mexe os dedos pelas curvas do lóbulo. O momento fatal, derradeiro, é quando toma a franja da concha e dobra como se fosse uma página, marcando a leitura para o dia seguinte.

O bebê marca onde parou a leitura de nossa vida na orelha, entende? Nosso ouvido é seu primeiro livro.

Uma tecnologia avançadíssima de ternura. Para a inveja das civilizações maia, inca, asteca.

Hoje me sinto apto a confessar e alertar o perigo. Nunca fiz nenhum filho dormir; em compensação, eles me curaram da insônia.

# PECHINCHA

Eu não durmo no avião. Cochilo com um olho aberto e outro tremendo. Os cílios são cadarços desamarrados.

Estou em vigília pelo lanchinho. Mesmo que seja somente um copo d'água ou um refrigerante. Mesmo que seja bolacha de sal e tablete de manteiga. Mereço e não abro mão. Paguei e quero cada fone de ouvido, cada torrão de açúcar que seja oferecido.

— Se bem que o mendigo em minha infância era mais bem-tratado do que passageiro de companhia aérea de hoje —

A questão é que não adormeço para não sacrificar benefícios. Sou pão-duro. É oferecer de graça que aceito. Eu me vejo roubado se os comissários pulam a minha fileira.

Não admito perder algo que os demais estão desfrutando. Meu sobrenome é Promoção.

Entro em filas homéricas por brindes de companhias telefônicas, preencho cupons para sorteio de bicicletas em lojas de roupas. Sucumbo à oferta de ganhar uma bolsa na compra de duas malas, ainda que eu não tenha necessidade. Não penso duas vezes. A vantagem me paralisa. Sou subornável por chaveiros.

Devia ser o menino birrento que chorava no mercado porque a mãe negou a pasta de dente com tampa de Pateta ou a revista de quadrinhos com relógio de plástico. Eu me vejo sendo arrastado pela gola da camisa para a porta.

Nunca comprei produtos pela qualidade, mas pelos adicionais. Não preciso comentar que meu chocolate predileto na Páscoa era o Kinder Ovo. Montava o brinquedinho e guardava o chocolate em potes de vidro.

Dois num, três num, pacote de seis pelo preço de quatro são cotonetes para os meus ouvidos.

Já recolhi escrivaninha no lixo do prédio. Resgato o móvel apesar da ausência de um lugarzinho em casa. Nasci com alma de brechó, fama de sucata, mania de ferro-velho. Adoto quinquilharias e depois raciocino o que posso fazer com elas.

Vivo seduzido por aquilo que é de graça. Temo ser desfavorecido, o último a ganhar, a vítima do momento, e não desmonto a tropa de guarda.

Quando criança, um colega me ofereceu naftalina como se fosse bala de coco. A esfera era apetitosa, sedutora, linda. Brilhou a pele do rosto tal pequeno globo de discoteca.

Aceitei o mimo e agradeci com um riso desdentado da terceira série.

Na hora em que fui comer, ela caiu no chão. Deslizou de minhas mãos. Tentei soprar, mas estava muito suja, cheia de poeira.

Tive que colocar fora.

Posso ser burro, mas não sou porco.

# O MORTO ESCUTA

*Ao amigo Marcelo*

Sou místico, acredito no sobrenatural, em Deus, em anjos, fantasmas, duendes, rezo ao entrar no carro, faço sinal da cruz ao passar por igreja, enxergo coincidências e sigo rituais.

Quando pequeno, queria ser santo. Hoje, percebo que é difícil ser apenas um homem honesto.

Fiquei abalado pela história real de uma enfermeira mineira. Foi a descoberta espiritual mais importante de minha vida. Não dormi por duas noites seguidas relembrando as verdades ditas por aqueles olhos azuis enormes.

Ela trabalhou por 30 anos na Santa Casa de Misericórdia, cuidando e socorrendo pacientes terminais.

Confessou que a pessoa morre como ela viveu.

Os mais alegres têm despedida leve, tranquila, independente da enfermidade. Vão daqui para o outro lado sonhando. Não realizam drama, tampouco articulam chantagem. Tamanha a suavidade, não dá para identificar o último suspiro. Aceitam o destino, agradecidos pelo amor recebido.

Já os que estavam acostumados a reclamar de qualquer coisa também definham contrariados. Atolados de culpas e dívidas, esbanjam esgares de sofrimento, protestam pelas dificuldades adquiridas na doença, gritam a cada arrepio, lamentam ausência de atenção; o hospital nunca é bom, a dor sempre é insuportável.

Eles falecem com o rosto contraído, fechado, apunhalado. De quem apanhou da morte. Uma feição tensa, de escultura inacabada.

Mas, então, a enfermeira revelou um hábito surpreendente de sua equipe: conversar com o defunto.

Diante do morto sofrido, refratário e penoso, ela cochichava conselhos em sua orelha. Pedia para que ele reconsiderasse sua raiva, que desistisse da cara amarrada e emburrada, que se arrumasse para o velório e abandonasse o ressentimento.

Explicava que os familiares esperavam com ansiedade para vê-lo, que ele precisava se despedir bonito, que os parentes mereciam seu perdão e não valia a pena comprar briga por orgulho e teimosia.

Com as palavras delicadas de incentivo, não é que o morto ia soltando os traços e transformava a aparência na hora: libertava as bochechas, alforriava a boca, relaxava por completo.

O morto incrivelmente escutava. Entendia a súplica da enfermeira, mesmo depois do seu fim. Atendia ao pedido e desinchava a amargura e serenava o espírito.

Nossos ouvidos não terminam com a morte. Continuam ouvindo onde quer que estejamos.

# LENÇO DE PANO

Minha infância já foi inteiramente de pano: as fraldas, os cueiros, os guardanapos, tudo se sujava e se lavava. Nada era descartável.

O uniforme escolar incluía um lenço branco, guardado no bolso do abrigo.

Mesmo quando a merendeira se transformou numa mochila de três quilos de cadernos e livros, permanecia transportando o paninho branco para prevenir espirros e coriza (o Kleenex custava caro, e seu uso se restringia a consultórios médicos).

O lenço representava um item obrigatório durante o dia. Formava um sinal de educação, assim como repartir os cabelos ao meio com brilhantina e nunca cansar de dizer "por favor", "com licença" e "obrigado".

Antes de sair, a mãe me lembrava de levar o lenço mais do que o casaco. O objeto dividia a gaveta com as cuecas e as meias. Sem ele, ficaria nu socialmente.

Dobrei muita gripe em seus quadrados, livrei-me de vários constrangimentos em seus vincos.

Lenço não se emprestava a irmão ou ao colega. Poderia ser oferecido num ato de gentileza e socorro, mas nunca emprestado. Havia nele uma exclusividade de escova de dente. Participava do enxoval de amadurecimento, ao lado da toalha de banho e de rosto. Para não ser extraviado, trazia as iniciais do dono.

O simpático adereço com rendas nas bordas atravessava todas as idades. Atendia, ao mesmo tempo, à higiene das crianças e à aparência dos adultos. Dos fundilhos da calça subia o andar da roupa e se instalava no bolso do paletó como sinônimo de elegância.

Um autêntico cavalheiro não andaria na rua sem o buquê de linho na lapela. Ajudava a secar o suor do rosto, e consistia numa potente arma de sedução: sacado na hora H para conter as lágrimas das mulheres e evitar o borrão da pintura. Bastava ceder o lenço, que a dama suspirava. Em contrapartida, a mulher conservava um lenço de reserva na bolsa para limpar o sangramento masculino da boca, quando o sujeito se engalfinhava com concorrentes por amor a uma musa.

Fui procurar um lenço movido por nostalgia, para dar aos meus filhos. Devassei as lojas e feiras de artesanato e não achei o produto. Tinha que explicar ainda. Explicar nos envelhece.

— Tem lenço?

— Lenço?

— De pano, de nariz, de enxugar a testa?

— Ah, sim, isso é muito antigo, não tem não.

Não se vendem mais lenços em Porto Alegre.

Não verei de novo aquela cena portuária das pessoas se despedindo com as pequenas bandeiras brancas.

Lenço nos ensinava a acenar. Era o professor da despedida. O professor de nossa saudade.

Adeus, lenço!

# A PRIMEIRA MULHER

Eu descobri o momento em que eu me apaixonei por uma mulher.

A primeira mulher.

As mulheres em uma única mulher.

Era uma menina. E eu era um menino.

Até os dez anos, não me interessava pelo universo feminino: na escola, guris de um lado jogavam futebol e bolita, meninas do outro pulavam corda e brincavam de Cinco Marias. Havia um internato no sangue separando os sexos. As rodas andavam em dois clubes, do Bolinha e da Luluzinha, em segregação total.

Se alguém perguntava para mim se tinha namorada, fazia careta, expressão de nojo, soltava um "nunca", resmungava "Eca". Só queria brigar e suar e não compreendia qual a graça que as colegas encontravam em trocar corações e adesivos no caderno.

Mas Gisele me mostrou o que significava amar. Eu não quis saber de outra coisa ao longo dos meus 40 anos. De verdade. Assim como tem gente que escolhe ser médico, engenheiro, advogado, jornalista, escolhi amar naquele momento. Amar é minha profissão. Vou morrer sem me aposentar. Vou morrer devendo palavras.

A cena fundadora teve de palco a sorveteria Ilhabela, no bairro Petrópolis, na esquina com o colégio Santo Inês.

Gisele me convidou para tomar uma casquinha. Chocolate e morango misturados.

Eu ia dizendo não, mas ela tirou do bolso uma cédula adulta, digna de carteira de pai, que dava para comprar uma tarde ininterrupta de doce.

Sentei com ela, tenso, frente a frente, nas cadeiras de plástico.

Eu lambia o meu sorvete, ela lambia o dela.

Natural numa tarde de 30 graus, o sorvete começou a derreter aos lados, sobre os dedos.

Ela ia me avisando onde escorria.

— Aqui!

— Rápido, mais embaixo.

Eu ria, feliz de ser cuidado, feliz que ela reparava em minhas unhas, feliz que ela me protegia.

Passei a avisá-la também.

— Vira, vira, tá descendo!

— Agora, ali!

Ela ria, igualmente animada com nossa cumplicidade, eu já cuidava dos seus cuidados, cuidava sendo cuidado.

Não poderia existir maior demonstração de amizade do que apontar onde o sorvete deslizava, antecipar o pensamento, adivinhar o gesto.

Divertíamos com as descrições.

Olhei seu rosto de um jeito diferente. Como antes olhava uma partida de futebol.

Com o mesmo nervosismo. Aquele jeito encabulado, de quem encara sua boca mais do que os olhos e furta um beijo com a respiração.

Quando atravessamos a Protásio Alves, ela correu puxando minha mão.

Eu atravessei minha vida naquela rua.

# MÁFIA

Sou brigão. Um Hulk amarelado. Um caixa automático do Procon.

Minha aparência é calma, educada e sensível na maior parte do tempo. Mas é cometer uma injustiça contra mim ou querer me enganar, que enfureço. Subo nos tamancos. Monto no porco.

Babo, esbravejo, cerco a conversa, acelero a fala para não permitir que o oponente pense e revide. Em casa, são folclóricas as refregas com garçons, taxistas e vendedores.

No Super Trunfo familiar, minha agressividade é 9,5, a campeã absoluta das cartas. Os filhos são os que mais sofrem com os escândalos públicos. Mariana, 19 anos, se cala de cantinho, envergonhada, pedindo desculpa por existir.

Aquele que discute alto deveria ter consideração com seus acompanhantes. Ou, pelo menos, consultá-los antes de tomar uma atitude intempestiva de chamar atenção do restaurante ou da loja ou da rua.

Busquei me reabilitar na última semana. Não me esquentar por qualquer atrito, não estragar o passeio com minha sede de justiça.

Em Belo Horizonte, veio a primeira chance de desfazer a fama. O taxista roubava de modo escancarado. Aumentava o trajeto, costurava rumos desnecessários, salteava entradas com destemor, assobiava malandragem. O trajeto de R$ 10 da ida (linha reta na Avenida Afonso Pena), já resultava o dobro no taxímetro da volta.

Respirava cachorrinho para não latir. As têmporas cresciam, a dor de cabeça aumentava, mas não iria constranger novamente minha filha. Dessa vez, suportaria o erro em silêncio, conteria o ímpeto de pegar a falha em flagrante e exigir explicações. A mão suava, a garganta arranhava de raiva. Repassei o dinheiro para Mariana disposto a evitar o conflito direto, o confronto final, o choque da verdade.

Não desejava sequer ouvir a voz fanhosa do sujeito. Festejei quando saí do carro para pegar as sacolas no porta-malas. Finalmente controlei a fúria, estava curado da maldição, merecia estrelinhas douradas no caderno escolar.

Mas estranhei a demora de Mariana para deixar o táxi. Fui conferir pela janela e ela apontava o dedo e gritava com o motorista, chamava o cara de ladrão, de criminoso, de estúpido, de grosseiro, de nojento. Levantou-se e bateu a porta com força. Lacrou a porta do Sandero. Nunca a vi assim.

— Que safadeza, a corrida custou R$ 22,10 e ele insistiu pelos 10 centavos, não aguentei e explodi — esclareceu.

Nas férias de minha cólera, ela ocupou meu lugar. Bem coisa de máfia.

As maiores brigas de nossa vida acontecem quando defendemos as dores dos outros.

# O QUE SEPAROU A FAMÍLIA BRASILEIRA

Eu sei o que desuniu a família brasileira.

O momento em que ela abandonou o tradicional almoço em casa e procurou a rapidez do restaurante a quilo.

Quando ela se desinteressou por completo da residência. Quando trocou a diarista pela faxineira duas vezes por semana.

Quando começou a comprar comida congelada e economizar com os talheres. Quando abdicou do pãozinho da padaria do final da tarde.

Quando as saídas ao supermercado tornaram-se frequentes. Quando o intervalo do trabalho diminuiu consideravelmente.

Quando a vassoura sumiu de trás da porta. Quando o avental desapareceu do seu gancho.

Quando ter uma horta passou a ser irrelevante. Quando o pai não mais visitou sua oficina de marcenaria na garagem

Quando a tabuleta de bem-vindo acabou dispensada. Quando o capacho se divorciou da porta.

Quando a mãe adiou o jardim. Quando a vista de fora superou o carinho da decoração.

Eu sei eu sei eu sei o instante exato da transformação. Foi na hora em que a gente parou de vestir o botijão de gás.

Aquele ato mudou a mentalidade da classe média.

Cuidar do botijão significava zelar pelos detalhes, pela aparência e ordem doméstica. Mostrava uma preocupação com o olhar das visitas. Um carinho com os coadjuvantes da rotina. Um capricho com as gavetas e despensas e forros e fundos e cantos e quinas.

Não se podia deixar o gás daquele jeito sujo e engraxado no coração de azulejos da cozinha. Correspondia a um ultraje, a falta de educação, a ausência de asseio.

Ele precisava estar agasalhado. Todos os objetos do mundo mereciam uma capa: os cadernos de aula, o filtro de barro, o liquidificador, os ternos no armário, os carros na garagem.

Os objetos tinham que durar: geladeira era para a vida inteira, o fogão era para a vida inteira, máquina de lavar era para a vida inteira. Não se pensava em trocar, não se guardava o certificado de garantia, absolutamente dispensável.

Minha mãe não largava os pedais da Singer nos finais da tarde, elaborava tampas coloridas para as compotas de doces ou revestimentos para penduricalhos.

É óbvio que costurava, mensalmente, uma saia de renda para o gás, aproveitando sobras dos tecidos da cortina.

Eu achava que o botijão fosse uma irmã.

Meu irmão caçula já considerava um menino e chamava sua roupa de poncho.

— Mas é floreado! — eu dizia. — Não existe poncho floreado.

Vestir o botijão revelava o quanto nos importávamos com o desnecessário.

O quanto tínhamos tempo livre para amar.

Tempo livre para amar a família.

Tempo livre.

## SAINDO DO ARMÁRIO

— Mãe, tenho que conversar sério.

— O quê?

— Não aguento mais viver assim, meu coração está apertado, cansei de mentir.

— Desembucha, meu filho, estou preocupada.

— A senhora já deve ter me visto com a Raíssa estudando no quarto.

— Sim, o que aconteceu?

— A gente estava revisando Matemática, preparando cálculos da prova e a gente beijou na boca.

— Ai Ai Meu Santo Pintor Caravaggio...

— Mãe, eu não consegui me controlar, sei que é errado, mas ela cheirou meu rosto e eu...

— Chega, por favor, não faço questão de saber. Não mereço tamanha humilhação.

— Mas mãe...

— É errado, é contra a natureza, contra as regras de Deus.

— Mãe, por favor...

— Vou pegar meu remedinho.

— Mãe, não vem pôr remedinho na língua, impossível conversar desse jeito.

— Coitada da menina, você se aproveitou dela?

— Não, não foi, é amor.

— O que você quer dizer com amor?

— Estou tentando dizer que sou heterossexual.

— Um filho heterossexual? Não, você não foi educado em escola de padre para sair heterossexual.

— Mas eu gosto de mulher.

— O que seu pai dirá disso, Aurélio? Tem ideia do que está propondo? É uma crise passageira, coisa de adolescente.

— Eu não fico interessado por meninos na escola, não posso ir contra meu desejo.

— É fase, querido. É só cortar os cabelos, fazer chapinha, que passa.

— Mãeee!

— É vontade de ser especial, logo some. Que tal comprar maquiagem no shopping hoje? Há todo um estojo de esmalte, sombras e delineador da Marilyn Monroe, novidade da Mac, acredita?

— Não está me ouvindo, ajuda!

— Eu compro um armário novo para você se esconder, mais espaçoso, com luzes embutidas e espelho, será seu camarim, que tal?

— Vou enlouquecer.

— Isso também aconteceu com o filho da Bete, durou três meses e ele já se veste de Lady Gaga de novo.

— Me ouve. Preciso de seu apoio, não dá para me entender? Não complica.

— Para de falar bobagem.

— Não é um momento, mãe, é uma decisão antiga. Colocava as cuecas do pai em segredo.

— Roubava as cuecas de seu pai?

— Sim, e a bombacha, e os moletons rasgados, e as alpargatas.

— Alpargatas? Eu eduquei você para salto 12. Por que nunca me contou?

— Nunca prestava atenção em mim, apenas se preocupava em comprar sapatos e bolsas.

— Filho, você tem somente 16 anos, é jovem para decidir que é heterossexual. Calma, espera um pouco, muita água vai rolar por debaixo da ponte.

# GUIA MICHINELÃO DE HOTEL

Sobram críticos dispostos a definir se um hotel merece cinco ou quatro estrelas. Nunca faltaram voluntários ao luxo. Qualquer um quer fazer parte da equipe secreta do Guia Quatro Rodas.

Por outro lado, já não é fácil conhecer um palpiteiro para nos prevenir dos piores cafofos, dos muquifos sem nenhuma constelação, com neon do letreiro falhando e eletrocutando insetos.

Para evitar roubadas, formulei o primeiro Guia Michinelão do país.

Não espere nada da estrutura hoteleira se o recepcionista entrega o controle da tevê com a chave do quarto. Não espere nada mesmo se ele entrega também as toalhas de banho. Não espere nada, sinceramente, se ele entrega junto um rolo de papel higiênico. Isso é acampamento.

Não espere nada do quarto se não consegue efetuar ligação para a recepção. Não espere nada mesmo se não observa um telefone no local. Não espere nada, sinceramente, se apitar um interfone na parede. Isso é cortiço.

Não espere nada se a porta depende de uma manha para girar a chave. Não espere nada mesmo se as lâmpadas estão queimadas. Não espere nada, sinceramente, se o frigobar aparece vazio e desligado. Isso é a casa da sogra.

Não espere nada se não há ar-condicionado. Não espere nada mesmo se não há ventilador. Não espere nada, sinceramente, se não há janela. Isso é presídio.

Não espere nada se a tevê não disponibiliza pay-per-view. Não espere nada mesmo se a tevê possui só canais abertos. Não espere nada, sinceramente, se a tevê apenas transmite o circuito interno do prédio. Isso é zeladoria.

Não espere nada do banheiro que tem uma cortina de plástico floreada no box. Não espere nada mesmo se não vê nenhum desnível do piso demarcando as áreas da privada, do chuveiro e da pia. Não espere nada, sinceramente, se tem um rodo atrás da porta. Isso é serviço militar.

Não espere nada quando entrar no quarto e o lixo transbordar de sujeira. Não espere nada mesmo quando deitar e comer mechas loiras do travesseiro. Não espere nada, sinceramente, se você é careca. Isso é trabalho comunitário.

Não espere nada quando o hotel oferece prostitutas na recepção. Não espere nada mesmo quando o hotel oferece prostitutas no corredor. Não espere nada, sinceramente, quando chegar ao quarto e encontrar uma prostituta na cama, com o valor do programa incluso na diária. Isso é bordel.

Não espere nada quando não achar cardápio no quarto. Não espere nada mesmo se não achar a lista telefônica. Não espere nada, sinceramente, se não achar a Bíblia na gaveta.

Todo hotel tem Bíblia. Desculpe informar, mas você está no inferno.

# AMIZADE PLATÔNICA

Pior do que amor platônico é a amizade platônica. Muito mais grave.

Quando seu melhor amigo diz que você não é o melhor amigo dele, que ele tem um outro melhor amigo.

Você se acha traído, desapontado, desprezado.

Oferece o máximo de sua conversa e lealdade a alguém que escolheu um terceiro como confidente.

Tudo o que você já fez e falou não teve brilho suficiente para conquistar o reinado da confiança. Lembra que os jogos, os socorros e a cumplicidade não convenceram o parceiro a partilhar de idêntico arrebatamento. Ele ainda acredita que tem um sujeito mais capacitado a entendê-lo do que você. Se ele pudesse optar, não estaria ao seu lado.

Isso desequilibra sua fé. Nasce uma covinha no riso, as sobrancelhas tropeçam nos olhos.

Está ilhado na admiração. É coadjuvante quando pensava atuar no papel principal.

Na hora em que descobre a verdade, não há inveja, e sim decepção. Parece que foi usado, parece que foi um sparring, parece que o passado foi nada.

Nem pode reclamar como acontece no amor platônico. Não pode pedir estorno dos dias vividos, ou gritar que é injusto ou tomar um porre.

Dores de amizade são discretas e silenciosas. Não ser correspondido na amizade cria um vazio sem precedentes.

Na escola, meu melhor amigo era o Cristiano, o único colega a quem emprestei meu time de botão, o único a quem contei que amava a Gisele. Atravessava as tardes em sua companhia: jogando videogame, disputando corridas de bicicleta nas ladeiras da Mostardeiro, solucionando infindáveis cálculos de matemática.

E não é que numa redação da 5ª série, na qual revelávamos nossas grandes parcerias, Cristiano lê alto para toda a turma, diante do quadro-negro, que seu amigo do peito era o Gustavo?

Fui pego desprevenido, não tive tempo de esconder a tristeza, que ficou visível no rosto, escandalosa como perfume de goiaba.

Naquele instante, conheci a força secreta da rejeição. Gostava dele e ele preferia o Gustavo. Eu me percebi corneado na amizade. Um corno manso das confissões.

Risquei o Cristiano rapidamente do meu texto. Mas não veio nenhum nome para substituí-lo. Não tinha segundo melhor amigo.

Menti para a professora que não terminei o texto. Ela entendeu minha solidão e não me repreendeu.

Passei a voltar sozinho para casa.

# DESCONGELAR A GELADEIRA

Na infância, não receava quando a mãe perguntava quem tinha quebrado um vaso ou quando ela questionava a identidade daquele que mexeu em sua bolsa à procura de troco.

Todo mundo temia a contagem regressiva para limpeza da geladeira.

— Vou descongelar amanhã.

Vivíamos 48 horas de ameaças.

Ela entrava em transe monotemático. Ofegante, avisava e logo esquecia que avisou.

Era como faltar luz ou água em casa. Exigia um plantão afetivo, não se podia nem brincar com o assunto e subestimar a força-tarefa com piadas.

Descongelar a geladeira significava uma operação séria, grave, de abstinência coletiva.

Você talvez não vá entender, devido à atual oferta de produto com duas, três, quatro portas, capacidade para

450 litros, sistema frost free, drink express ou gelo fácil. Hoje, a geladeira até cozinha, embala e entrega a marmita quente.

Naquela época, o refrigerador não ultrapassava 1,60m por respeito à estatura das vovozinhas. Contava apenas com trinco simples, um lado e uma cor. Não sabia ler nem escrever, sem nada automático por dentro.

Uma vez por mês, as famílias deveriam esvaziar totalmente as prateleiras e o congelador.

Uma guerra sanitária que deveria ocorrer no dia certo (de preferência ensolarado), na hora H em que os mantimentos expiravam as datas de validade. Tudo para assegurar poucas perdas e uma maior economia no lar.

A privação custava caro para as crianças, aniquilava nossos assaltos apetitosos de tarde para adiar os temas. Ficaríamos longe das sobras do almoço e da janta, do ki-suco e do pudim minguante.

A mãe mobilizava a faxineira para ajudar a caçar cheiros passados e bandejas vencidas debaixo das crostas do gelo.

Não podíamos entrar na cozinha enquanto a equipe feminina realizava o serviço e inspecionava a Antártica caseira.

Elas criavam um cordão de isolamento, fechavam o acesso pelo pátio. Juro que uma dedetização seria mais discreta.

Tirar a geladeira da tomada correspondia a iniciar uma cirurgia delicada, salvar o máximo possível de mantimentos, evitar que delicadas e caras compotas estragassem.

O pai se trancava no escritório. Os filhos terminavam enviados para os vizinhos.

Pela movimentação, o bairro descobria a chegada da data decisiva do degelo.

A mãe comentava:

— Mais simples morrer do que descongelar a geladeira.

— Não exagera, mãe! — respondia.

— Exagerar? Vai morrer para ver o que é pior.

# PELA EXTENSÃO

Há histórias que me enervam. Tenho medo de dormir até com a luz acesa. Não paro de andar pelos corredores, inquieto como um copo espírita.

São relatos que despertam a nítida sensação de que a vida é um majestoso percurso de voz e eco. Aquilo que digo num dia terá resposta no seguinte, que o melhor é ser responsável e atento desde cedo.

Minha amiga Teresa brigava muito com seu pai na adolescência. Época de reunião dançante, meias de lurex coloridas, carteiras emborrachadas.

E telefonemas longos, que custavam uma fortuna e recebiam paranoica fiscalização.

No auge dos 16 anos, Teresa tricotava fofocas com o namorado, e o pai Omar acalentava a triste mania de escutá-la pela extensão.

A quebra de sigilo telefônico acontecia pela própria família. Vigorava arapongagem amadora para descobrir o que os jovens aprontavam.

As casas contavam com dois aparelhos, um na sala e um segundo, mais privativo, no quarto ou no corredor.

O trinido vinha para Teresa, e o pai protestava:

— É seu namorado, atende logo e não demora, que estou esperando ligação.

Todos sempre esperavam alguma ligação. Todos sempre demoravam. Todos sempre reclamavam.

Teresa colocava os pés na parede, enrolava os cabelos com uma caneta e não cansava o ouvido. O pai fingia que ia dormir e acompanhava secretamente a serenata do casal. Criou uma série de métodos para não ser identificado. Erguia bem devagarzinho o gancho e segurava o pino com a mão esquerda para evitar ruídos. Prendia o ar e mergulhava literalmente na correnteza verbal. De modo nenhum suspirava ou tossia. Resistia no esconde-esconde, com taquicardia de ladrão novo. Às vezes, era desmascarado e a filha berrava:

— Pai, baixa o fone!

Na maior parte dos contatos, saía impune. Teresa odiava a bisbilhotice. Reclamava da falta de privacidade. Formulou um padrão de comportamento para censurar a intrusão fantasmagórica. Quando vinha linha cruzada, lá estava o espião. Quando a dicção falhava, lá estava o grampo.

Teresa hoje tem 50 anos. Seu pai morreu há duas décadas. Ela nunca mais ergue um gancho sem cogitar que Omar cuida dela. Tem vergonha de pensar nisso — apoiando a coisa horrível que ele fazia —, porém torce mesmo para que esteja ouvindo tudo no outro lado da linha: prevenindo maldades, aconselhando caminhos.

No meio de uma conversa comigo, bateu um desespero e ela gritou:

— Pai, não baixa o fone!

No início, não entendi: — Pai? Que pai?

Depois fui entendendo que morrer é não ser visto e permanecer vivo na extensão.

## MEU ANJO DA GUARDA,

vejo muitos pais reclamando do aumento de violência e de sua preocupação com a segurança dos filhos.

Sou pai também, respeito o medo e igualmente sofro em segredo — me encaixo naquele caso paranoico que só dorme quando todos estão em casa.

Mas eu e você temos noção de que a violência não era menor na minha adolescência, apesar dos protestos da nostalgia, apesar do charme de puxar o otimismo a favor do meu tempo.

Eu não esqueci o quanto você me salvou. Poderia ter morrido tantas vezes. E escapei sempre por um triz, por um golpe de suas asas, pelo seu cuidado telepático, pela sua generosidade discreta.

Você recorda, anjo, dos meus 18 anos? Óbvio que sim, minha memória é seu trauma. Viajava de carro sem cinto. Uma simples colisão e não existiria mais. Saltaria em direção ao vidro. A gente bebia depois da festa e dirigia. Não havia campanha, fiscalização, blitz. Como que nunca aconteceu nada, como?

Sou seu milagre. Sua hora extra. Seu sonambulismo.

Ou quando atravessava a cidade a pé e entrava de penetra em qualquer festa que encontrasse pelo caminho, recorda? Adormecia em paradeiros desconhecidos. E não tinha celular ou telefone para pedir ajuda. Já andei de Assunção a Petrópolis, sozinho, de madrugada, alheio a assaltos e ameaças. Já fugi correndo de turmas de canivetes e chacos.

Balada sim, balada não, armava-se um bolo em que os socos surgiam do nada e os colegas se defendiam com garrafas quebradas. Cortei a minha cabeça numa luta, o que rendeu quatro pontos. Quase foi fatal.

E o amor totalmente desprevenido? Ai, anjo da guarda, raros usavam camisinha com as namoradas na minha época. Mergulhei numa década inconsequente e saí ileso.

Gerei o dobro de trabalho para seus voos e vigílias, né? E as drogas que circulavam entre os conhecidos, o lança-perfume que vinha de Rio Grande? E os comas alcoólicos? Não foi uma vez que desmaiei na calçada do Bom Fim. Apaguei uma noite no Parque da Redenção, acordei com gritos de um brigadiano: "Vamos circular!"

Os adolescentes torravam a mesada em bebida e se vestiam como mendigos, com calças rasgadas e camisetas para fora. Meu fígado não tinha rótulo. Superei conhaque da pior espécie, vinho de garrafão de procedência duvidosa, cigarros de filtro laranja.

Pegava carona na BR-116 (considerava um absurdo gastar com ônibus) e não me deparei com nenhum assassino.

Incrível que esteja aqui para agradecê-lo. Se minha mãe soubesse o que passei, arrumava um castigo retroativo.

# SOBREMESA

Onde está a sobremesa na geladeira?

Quem comeu?

Na minha infância, sempre havia uma sobremesa me esperando. Acho que eu só almoçava pela sobremesa. Acho que só estudava pela sobremesa. Só passei de ano pela sobremesa.

Era sagrado. Era profano.

Ou um sagu. Ou um arroz de leite. Ou uma ambrosia. Ou o maravilhoso pai de todos, o pudim de leite.

Quando eu via a fôrma no quarador, eu já festejava o doce sucedendo à refeição. Salivava segredos e repetia sessões da tarde.

Soprávamos o doce para esfriar rápido, como quem abana as unhas depois do esmalte.

Com o pudim, o cheiro do gelo vinha a ser outro. O cheiro da cozinha vinha a ser outro. O cheiro de nossa alegria vinha a ser outro.

O perfume adocicado chamava o nosso olfato a pecar.

Abríamos a geladeira como quem recebia a namorada.

Lutávamos para comer um pedacinho a mais do que os irmãos. A mão direita tinha o molde de uma espátula para ser rápida e não atrair concorrência.

Gemíamos rindo, a língua se maravilhava, os dentes se deliciavam, a fatia derretia no céu da boca.

Pais pareciam eternos. Tios pareciam afortunados. Eu seria astronauta quando crescesse e nada frustraria meus planos. Não havia desemprego e medo da morte.

Cada um aprendia a receita de um doce para se casar. E de um doce para se separar. Quem acertava a mão recebia comendas e elogios por semanas a fio.

A sobremesa acontecia nos dias úteis, de segunda a sexta, em horário comercial, certa como um suspiro na escadaria da igreja. Não dependia de datas comemorativas e de aniversários como agora.

Nem lembro de ter sido gordo devido à minha amizade com o açúcar e às festas das claras.

O mundo melhorou de saúde ou ficou neurótico?

Não vejo mais o hábito de reservar o sábado e domingo para preparar guloseimas.

As dietas mataram nossas sobremesas e o cafezinho de bandeja. Os regimes ditatoriais aniquilaram nossa alegria diária. As barras de cereais venceram o nosso contentamento lírico.

Privilegiamos a pressa do garfo e faca, renunciamos ao uso lúdico das colherinhas.

As mulheres de hoje não toleram calorias a mais, rejeitam tentações, repudiam o leite condensado.

Se elas não podem comer, nós devemos acompanhar. É um crime não ser solidário no emagrecimento. É um desrespeito e uma provocação.

A sobremesa morreu no interior de nossa cozinha. Surgiram invenções maravilhosas como a máquina de lavar louça, o micro-ondas, o multiprocessador, mas a sobremesa desapareceu, não pôde testemunhar os milagres da civilização.

Diminuiu nossa vontade de permanecer em casa, reduziu a gana de viver em família e de acordar de madrugada.

Onde está a sobremesa?

Quem não comeu?

# O RISO É PERIGOSO

Clarice Lispector beliscava sua amiga Lygia Fagundes Telles quando entravam juntas num encontro literário:

— Não ri, vai! Séria, cara de viúva.

— Por quê? — perguntava Lygia.

— Para que valorizem o nosso trabalho.

Não há mesmo imagem de alguma risada da escritora Clarice Lispector. Em livros e revistas, a cena que persiste é seu olhar desafiador, emoldurado por um rosto anguloso, compenetrado e enigmático. Os lábios não se mexem, absolutamente contraídos, envelopes fechados para a posteridade.

Lispector não mostrava suas obturações, sua arcada para ninguém. Não se permitia gargalhadas para não parecer mulher superficial e leviana.

Ela percebeu que existe um imenso preconceito contra a alegria. Os críticos não a levariam a sério, dizendo que ela não era densa, não inspirava profundidade; acabariam por sobrepor a aparência faceira aos questionamentos metafísicos de sua obra.

Seu medo não era bobo. O riso permanece perigoso. Todos temem os contentes. Falam mal dos contentes.

O riso gera inveja, ciúme, intriga: "Por que está feliz, e eu não?"

A alegria é malvista em casa e no trabalho, sempre intrusa, sempre suspeita equivocada de uma ironia ou de um sentimento de superioridade.

Ainda acreditamos que profissionalismo é feição fechada, casmurra. Ainda deduzimos que competência é baixar a cabeça e não entregar nossas emoções.

Quanto mais triste, mais confiável. Quanto mais calado, mais concentrado. O que é um tremendo engano.

A criatividade chama a brincadeira, assim como a risada renova a disposição.

Se um funcionário ri no ambiente profissional, o chefe deduz que ele está vadiando, sem nada para fazer. Poderá receber reprimenda pública e o dobro de tarefas. Quem diz que ele não está somente satisfeito com os resultados?

Se sua companhia ri durante a transa, você conclui que está debochando do seu desempenho. Quem diz que não é o contrário, que ela não festeja o próprio prazer?

Se a criança ri no meio da aula, o professor compreende como provocação e pede para que cale a boca. Quem diz que ela não está comemorando algum aprendizado tardio?

Se o filho ri quando os pais descrevem dificuldades profissionais, a atitude é reduzida a um grave desrespeito. Quem diz que ele não achou graça do tom repetitivo das histórias?

Se a esposa ou marido ri e suspira à toa, já tememos infidelidade.

O riso é escravo dos costumes, sinônimo de futilidade e distração quando deveria ser visto como sinal de maturidade e envolvimento afetivo.

Não reagimos bem à felicidade do outro simplesmente porque ela ameaça nossa tristeza.

# *SOMOS ASSIM*

# AS APARÊNCIAS NÃO ENGANAM

Mulher guarda repulsas em segredo. Não abre para a ala masculina o que realmente detesta. Deseja que ele descubra sozinho ou reza para que nunca aprenda mesmo, sempre é bom ter uma pequena vantagem no ódio.

Um dos seus horrores é homem que usa sapato branco. Para ser perdoado, ou ele é um bicheiro extremamente rico, dono de escola de samba, ou um pai de santo poderoso, proprietário de uma granja. Na ausência das duas hipóteses, precisa saber dançar muito bem, reeditar um Fred Astaire do bico fino, tirar música do salto, reproduzir La Marseillaise subindo a escada.

Mulher projeta o futuro no primeiro encontro, o depois vem antes. A realidade disputa corrida com sua idealização. Quando namora, já pensa se ele serve para casar. Quando casa, já pensa se ele serve para cuidar dos filhos. Por sua vez, homem é de alma retroativa; quando namora e casa, só lembra a sua mãe.

De acordo com o efeito dominó feminino, o cara que compra sapato branco vai adquirir cinto branco. O cara que compra sapato branco vai vestir camisas floreadas e abri-las até o terceiro botão para exibir a corrente de ouro com a inicial do nome. Não terá limite. Não terá censura. Colocará carpins pretos com tênis. Aparecerá na cama de cueca cor de pele. É totalmente sem noção, previsão de vexame na saúde e na doença, na riqueza e na pobreza, durante o casamento ou na pensão.

E essa não é a mais constrangedora repugnância. Há uma que envolve a maioria dos parceiros.

O que sua esposa ou namorada não confidencia é a fobia que sente com a rodela de mijo na calça. Toda fêmea não aguenta mijão, quem abandona o vaso com um halo molhado na braguilha, uma infiltração de parede no tecido.

Não tem como dizer que é outra coisa, senão que ele não balançou o dito e que aquilo é urina pura, nem precisa submeter a exame de laboratório, urina pura!, não invente de cheirar. O mais grave é que seu companheiro não trocará de calça por preguiça ou pela certeza de que ninguém reparou. A impunidade é a higiene masculina.

Ele espera a prova do crime evaporar para seguir com suas atividades. Passará o dia inteiro cheirando a mercado público, sem nenhum pingo de vergonha.

Os mais culpados ainda desenvolvem explicações e se antecipam aos comentários: "Eu me encostei na pia e molhei a calça", "Espirrou sabonete na hora de lavar as mãos", "Derrubei café e tentei limpar com um pano". Os mais intrépidos abusam das fantasias e criam a teoria de que o refil da privada foi posto invertido e jorrou água na descarga. Perdem tempo para mentir, não para corrigir o desleixo.

No banheiro masculino, junto da toalha, deveria ter uma fralda geriátrica. E, por precaução, o talco Johnson.

# TEORIA DAS CORES

Todo homem casado é daltônico.

Ele se torna uma vítima da dependência amorosa. A esposa confunde a cabeça do sujeito a ponto dele não diferenciar mais o que é o vermelho do verde, o que é o castanho do cinza. Pensa algo e ela avisa que a cor é outra. Nunca coincide pensamento com realidade. É uma conversa de enlouquecer Romero Britto.

No matrimônio, o mundo se embaralha como pontas dos lápis no fundo do estojo de madeira. Não tente apagar que aumentará a mistura.

A dúvida desemboca em desconfiança e termina em desvalia. O marido questiona onde está seu casaco marrom. A mulher lamenta que não sabe, ajuda a procurar, ambos esquadrinham a casa inteira e nenhum sinal do agasalho.

No último sopro da expedição, o homem localiza a peça no próprio cabide. Tranquila. Como se ela nunca tivesse saído dali. Afinal, sempre perdemos aquilo que não muda de lugar.

— Aqui, amor, achei!

— Mas esse casaco não é marrom?

— É o quê?

— É amarelo!

— Amarelo?

Ela fala com tanta determinação que você fica encolhido e se isola na insignificância monocromática. Desiste de rebater e de explicar, inclusive atinge o extremo de pedir desculpa. Não compreende como passou a vida desconhecendo os matizes certos. Como que atravessou o Ensino Fundamental sem rodar? Como que pintou a cara do Bozo nas cópias xerox das áreas de recreação? Será que os professores e familiares tiveram compaixão?

A partir desse momento fatídico do casamento, nada mais confere. É uma humilhação constante que mina as estruturas mentais e culturais.

Pergunta para a esposa onde está a calça preta, ela confessa que é azul. Pergunta para a esposa se viu o blusão laranja, ela diz que é vermelho. Pergunta onde foi pendurada a cueca, ela lembra que é lilás.

Diante do analfabetismo súbito, decide decorar as falhas e convertê-las num padrão, num segundo idioma, num código bíblico.

Marrom = amarelo

Preto = azul

Laranja = vermelho

Verde = lilás

Agora demora a responder as questões mais elementares. Desenvolve um raciocínio mais lento e longo. Observa qualquer aparência com curiosidade mórbida, precisando consultar a cartela de cores e indicar seu equivalente. Tal casa de câmbio, troca o que achava antes por aquilo que sua companhia estipulou como verdadeira.

Quando memoriza a nova ordem, sua mulher muda de lado e argumenta que o amarelo é amarelo e o preto é preto e o laranja é laranja.

Mas já era tarde demais para reaprender a teoria das cores.

# A FÉ DA MULHER NÃO É PERFUMARIA

Minha esposa perguntou quem trocou o sabonete.

—Trocar o sabonete?

Pensei que sabonete vinha com o box do banheiro, como um refil substituído semanalmente por assistência técnica.

Ela reparou que a marca era outra, que aquilo não faria bem para sua pele, que traria espinhas.

Falou com tamanha convicção que disse amém.

Mulher é fiel com produtos de beleza. Mais supersticiosa do que um torcedor que jura que a cor da cueca ou a lealdade a uma camiseta favorita influenciam no resultado.

Banheiro não poderia ser dividido entre marido e esposa. Cada um deveria ter o seu. Simone de Beauvoir, Camille Paglia e Madonna apenas queriam um banheiro exclusivo. É um crime o gênero feminino partilhar o espelho com amadores.

Homem não tem banheiro, mas vestiário. Ele usa aquele lugar para tomar banho e sair para o serviço.

Já descerrar o armarinho de uma mulher é tirar a burca de uma muçulmana: todo o rosto está ali.

É um laboratório. Uma feitiçaria. Uma alquimia de receitas.

Tudo o que tem nas prateleiras é uma longa soma cultural de experiência de babilônias, gregas, chinesas, indianas e maias, é a história do universo num frasco, realizaram testes com vendedoras, manicures e cabeleireiras, se desfizeram de amostras grátis, travaram conversas socráticas com a mãe e as avós.

O batom, o rímel, o pincel são confidentes. Amigos das sombras azuis. Não foram escolhas aleatórias, mas frutos de estudo minucioso e atento, de sofrido descarte de concorrentes. A acetona ficou de pé por um motivo, o desodorante tem seu segredo, o hidratante é insubstituível, o bloqueador não produz alergias. Não busque argumentar. É como discutir estrelas com astrônomo ou empregar binóculo como telescópio.

Só elas leem realmente os ingredientes do sabonete. Nunca vi nenhum homem atento aos componentes miúdos das laterais da caixa.

Elas abandonam o perfume devido a um insucesso profissional. Culpam um creme pela sua depressão. Incriminam pomada pela hipersensibilidade.

É uma fé inabalável que invejo.

Homem se contenta com a caixa de primeiros socorros do carro — é o único nécessaire que se permite. Sofre pela soberba, adepto da ideia de que nasceu pronto e que pode mijar em qualquer lugar.

Não repara nos sinais, confunde a prevenção com luxo. Ao sofrer de caspa, não substitui o xampu. Não compreende que a chuva branca e miúda, aparentemente inofensiva nos ombros, provocará a queda do império de seus cabelos.

# DECLARAÇÃO DE BEM

Nasci para arruinar surpresas.

Bato a língua com os dentes. Acabo revelando ao aniversariante festa armada secretamente, entrego paixões platônicas dos amigos.

Deus nunca me confiaria os segredos de Fátima porque transformaria em fofocas de Fátima.

Sou um estraga-prazer declarado.

Com minha mulher, conto quando compro vestido, sapatos, lembranças para ela. Descrevo os objetos do interior da loja. Não crio suspense nas viagens, já aviso o que ela receberá.

Ela fica feliz igual. Ou finge que fica feliz igual.

Criar expectativa é apenas aumentar a responsabilidade do presenteado. Ele tem que suspirar de qualquer jeito. Amar incondicionalmente. Explodir em abraços e falar frases definitivas como "eu precisava tanto", "ninguém me conhece tanto quanto você", "vou colocar no Instagram agora".

Na hipótese dela trocar o produto, é fracasso de sua parte e decepção do lado dela. Você não adivinhou o que ela desejava e ela não teve a generosidade de mentir.

Não faço mais surpresas, desde quando vi minha irmã se desfazer de sua coleção de papel de carta para seu namorado.

Durante seis anos, Carla guardou 150 papéis e envelopes de moranguinho, pesseguinho, maçãzinha, uma salada de frutas completa, um pomar de flores gigantesco no seu quarto. Havia uma papelaria invejável, com gramaturas diversas, cores muitas e cheiros de xampu e chiclete para abençoar as gavetas.

Ela perseguia novos produtos nas bancas e livrarias, era mais obcecada em atualizar seu catálogo do que eu e a minha filatelia.

Ao completar um mês de namoro com Fábio, seu colega da oitava série, ela pôs um ponto final na sua adoração. Deitou a cabeça na escrivaninha branca e escreveu uma correspondência inteira usando suas cartas. Todas as suas cartas.

Redigiu à mão um livro de 150 páginas com suas peças raras e cheias de detalhes, salpicadas de Snoopy, Hello Kitty e Ursinhos Carinhosos.

Entregou o maço ao seu amado num ato de coragem e sacrifício: "Toda Minha Infância Para Você Amor de Minha Vida."

Fábio confessou que somente olhou cinco páginas e dormiu.

— Não posso com sua expectativa. Tem um livro aqui, eu não leio nem bula de remédio! Melhor acabar agora antes que queira se casar comigo.

E terminou o relacionamento. Sem mais nem menos.

Carla chorou dois dias seguidos. Tomou banho com suas lágrimas. Lavou a louça com suas lágrimas.

Procurei acalmá-la. Passei minha coleção de selos pelo vão da porta, com um bilhete:

"Perdemos as cartas, mas temos ainda os selos."

# SIM E NÃO

Não mexa no iogurte dela. Ela tem uma técnica especial para enrodilhar a tampa, é estragar um dos melhores momentos de sua vida e desperdiçar a nata que se acumula no alumínio.

Já pode desenroscar à vontade sua garrafa da água. Ela não vê nenhuma arte nisso.

Não rasgue o pacote de bolacha. Ela deseja raspar os dentes no recheio da primeira bolacha, a mais crocante.

Já arrebente a linha pontilhada do salgadinho. Ela agradecerá o desperdício.

Não leia as dedicatórias dos livros dela, são cartões de amor disfarçados.

Já rompa o plástico da embalagem do CD, ela se revolta com o lacre.

Não coloque geleia ou manteiga em seu pão, existe um deslizamento da faca que aproveita a crosta dourada. Excesso de força talvez quebre a fatia e esfacele a obra-prima.

Já pode sacudir e servir o suco, é uma atitude carinhosa.

Não toque no saquinho de chá, cada um tem seu jeito de mergulhar o sachê e extrair a fragrância.

Já prepare o café, ela se sentirá aquecida pelo perfume.

Não perfure o vinagre e o azeite — o furinho de prego é herança de família.

Já tire a rolha do vinho e do champanhe.

Não invada o delicado pote de requeijão, é sacrificar o buquê de queijo.

Já pegue para si o frasco de pepino e de azeitona. Pressão é com você.

Não coloque de volta as roupas no cabide. Ela deve conservar uma ordem de importância das peças.

Já guarde os sapatos, não tem como estragá-los.

Não espie a cor do batom, ele grudará na tampa por sua imperícia.

Já aponte o lápis de olho.

Não ouse olhar o estojo do pó facial, o recipiente é frágil e não há como remediar depois.

Já desenrosque a cola bonder, eternamente com a ponta grudada.

Não estreie o xampu, significa o maior desrespeito à privacidade.

Já tire os sabonetes das embalagens e caixinhas, é de um cavalheirismo comovente.

Não esprema o tubo da pasta de dente.

Já pode manusear qualquer produto com spray.

Não lave as espátulas, tesourinhas e pinças do banheiro.

Já providencie a limpeza dos espetos do churrasco.

Gentileza não é se antecipar aos movimentos femininos e fazer tudo, mas saber o que fazer. Não é abrir tudo, mas saber o que abrir.

Ser educado sem perguntar é falta de educação.

# SAUDADE DO SIMPLES

O homem sempre é atrasado para amadurecer. Na escola, a menina anseia namorar e ele pensa unicamente em futebol. A menina de doze anos formou seu corpo e pisou na adolescência e o guri da mesma idade ainda está imberbe e não tem nenhum interesse em largar as briguinhas com os colegas.

Temos um retardo de três anos em relação ao time feminino.

Na vida adulta seguimos levando surra. A revolução sexual chegou muito antes para elas.

O macho agora que se deslumbrou em fazer sexo oral, por exemplo. É emblemática sua necessidade de posar como moderno. Não abdica da preliminar. Sua primeira atitude na transa é se dedicar a chupar sua parceira. Nem tirou a roupa e está chupando.

Cheio de boas intenções, ele se perde. Confunde o oral com maratona. A mulher ou dorme ou cansa de esperar a penetração.

Homem, quando busca agradar, exagera. E o exagero é broxante, pois ultrapassa a linha do prazer para desembocar na compaixão.

Obcecado em se tornar inesquecível, não equaciona o recado: a mulher não quer massagem, mas sexo.

Um dos seus erros é se ressentir do papai-mamãe. Acha que é um modelo antiquado, anacrônico, que lembra seus avós.

Adota variadas acrobacias, menos papai-mamãe. Para não ser acusado de conservador e machista, não desce mais da gangorra.

O homem vem sofrendo um medo tremendo de ser homem.

Um pouco mais e o papai-mamãe será extinto, injustamente.

É a posição mais romântica, mais sincera, mais transparente que existe.

É feita para quem ama de verdade.

O papai-mamãe é olhar nos olhos, é oferecer o peso do corpo, é confessar o pulmão.

São as pernas firmemente entrelaçadas. São os seios comprimidos no peito. São os braços estendidos em oferta.

Complica para qualquer um fingir orgasmo, complica para qualquer um fugir com a imaginação.

É o encaixe perfeito para arranhar as costas, morder o pescoço, cochichar aos ouvidos.

Movimento obsceno e messiânico, rude e suave.

No papai-mamãe, você pode ciscar um beijo enquanto o outro estiver gemendo, você pode observar o outro gozando, você pode segurar a mão para mostrar que não há desigualdade no grito.

Aliás, só no papai-mamãe as pessoas andam de mãos dadas também na cama.

# DORMINDO COM O INIMIGO

Puxar o lençol é motivo de discussão. Puxar o lençol e o edredom é motivo de crise. Puxar o lençol, o edredom e roubar o travesseiro são motivos de divórcio.

Coisa séria a disputa pelas cobertas de noite, um perigoso jiu-jítsu de pais de família, uma luta livre de pijama.

Não há bruxismo mais grave do que das mãos e dos cotovelos defendendo o território e guardando o lugar aquecido.

A reforma agrária talvez somente seja possível depois da partilha igualitária da roupa de cama pelos casais.

Mari se deitava e logo encarava seu marido como um inimigo. Caco tomava pílulas de cafeína para se manter acordado e ser o último a fechar os olhos, desconfiado das armadilhas de sua esposa.

Não mais relaxavam, não se abraçavam, não pediam conchinha, não encostavam os pés. Adormecer era o mesmo que ser enganado. Caco temia que Mari virasse uma múmia, a ponto de confiná-lo na Cidade dos Mortos. Mari receava que Caco se convertesse em lobisomem, tomando seu conforto e espaço.

Eles se odiavam silenciosamente de madrugada. Algo inconsciente, imperceptível no detector de metais da terapia. Não iriam mesmo conseguir controlar a vontade de passar o outro para trás. E ninguém realmente consegue: uma das glórias do amor é despertar regiamente enrolado enquanto nosso par treme de frio no canto. Representa uma cena de insuperável cinismo. Muitos não freiam o sadismo e culpam a vítima: "Por que você não me avisou?"

Para salvar o casamento e evitar a saída litigiosa de quartos separados, os dois optaram pela alternativa diplomática de individualizar o lençol e o edredom. Cada um compraria o seu enxoval. Terminaria assim a injustiça noturna, o MST, o colchão improdutivo.

Na primeira noite juntos após a medida, saíram do banho direto para a cama com uma volúpia inédita, um contentamento infantil.

Coroando o entendimento, ainda tiveram a sorte de contar com uma madrugada bem fria; os termômetros em Porto Alegre flertavam com o negativo.

O que não imaginavam era a ação impulsiva da empregada, que cruzou os lençóis, indiferente à sutil divisão dos bens.

— Mari, quer que levante para separar as cobertas?

— Não, Caco, deixa assim, senão vai fazer vento.

# QUAL É O SEU MANEQUIM?

As mulheres nos torturam com suas medidas. Não entregam de jeito nenhum. Nem de mão beijada, muito menos de pé beijado ou de nuca beijada.

Temos que descobrir ao longo da relação, e jamais interrogar o tamanho do sutiã, da calcinha, da calça, da camisa, do vestido, do biquíni.

O marido é impelido a espiar os cabides, fazer média das pilhas do guarda-roupa, cruzar fotografias dos últimos dez anos. Eu enlouqueço procurando descobrir. Para não sofrer ao comprar presentes, as senhas bancárias são dados da nudez da minha musa. Assim não erro e não sofro o constrangimento de vê-la voltar à loja por incompetência amorosa.

Mas por que a esposa ou a namorada não nos facilita o acesso? Não seria mais simples nos fornecer uma listinha com a descrição básica?

A hipótese mais comum é romântica: ela deseja secretamente que a gente decore seu corpo, assim como somos obrigados a memorizar a data do primeiro beijo, do primeiro abraço, do primeiro cinema, do primeiro jantar, da primeira transa.

Apesar da beleza da alternativa, é falsa. Mulher não repassa sua modelagem de propósito, já que nunca se sente magra o suficiente. Conserva a esperança de que o jeans da adolescência voltará a entrar em sua cintura, de que o vestido mínimo da festa de vinte anos descerá suavemente pelas costas. Pode estar exuberante, impecável, em forma, ainda suspira pela superação de suas etiquetas.

Ela não repassa informações à sua companhia por sonegar a si mesma. Seus dados pessoais são provisórios. Não carregam o caráter imutável das medidas masculinas. O homem aprende uma vez que é P, M, G ou GG e não se incomoda mais com o assunto. Mulheres trabalham com números quebrados, centímetros, polegadas.

Qualquer peça é uma balança. Qualquer peça é um teste. Qualquer peça é um exame de balizas.

Dizer com precisão o que veste é aposentadoria, é assumir que ela desistiu de emagrecer, abandonou as inúmeras e sucessivas dietas, envelheceu definitivamente.

Sua defesa predileta é argumentar que não sabe direito seu tamanho, pois muda de acordo com a confecção. Ela adora essa desculpa. Enche a boca de flúor para falar que há marcas mais largas e mais justas. Delicia-se em explicar que sapatos A são maiores do que a numeração de sapatos B, então é preciso experimentar, não há como comprar de olho.

Questionar o manequim feminino é tão ofensivo quanto perguntar a idade. As medidas são a idade do desejo, a idade do sonho

# QUANDO O GARÇOM NÃO NOS ENXERGA

O garçom não nos percebia. Não virava o rosto em nossa direção. Levantava o braço e abaixava, fingia coçar a cabeça, levantava de novo e abaixava, procurava piolhos imaginários.

Diante das recorrentes macaquices de minha parte, os filhos armaram debochada ola.

A coreografia não surtiu efeito, apenas aumentou a vergonha.

Ele circulava perto e, de repente, girava o tronco para o lado inverso. Um Garrincha de gravata-borboleta dando janelinhas e lençóis nas pernas das mesas.

No momento de nos ver, voltava para a cozinha.

— Diacho — eu lamentava. — Impossível marcá-lo de cima.

O sujeito conduzia a bandeja com a cabeça erguida ao teto, ao infinito, ao horizonte. Um dom para a lua capaz de irritar até poeta. Acho que estava mesmo indiferente, não distraído. É complicado diferenciar a distração da indiferença.

Ele não servia. Pela demora, fazia tele-entrega.

Meu ímpeto era pegar o celular e telefonar ao restaurante:

— Pode atender a mesa 15, por gentileza?

O serviço daquele muquifo se enquadrava no mais relapso da vida. Minha paranoia já queria reter os dez por cento.

A impressão é que todos que chegavam depois da gente tinham sido servidos e devoravam as bandejas com prazer e mexiam os garfos com estardalhaço no fundo do prato.

E só nós, ilhados, fantasmas, família do Sexto Sentido.

Nem tínhamos recebido ainda o cardápio. Depois da fila para sentar, agora havia a fila do menu. E depois a fila do refrigerante e suco. E depois a fila da comida.

Quando o homenzinho nos enxergou, ele veio com calma de santo. Fixou seu olhar em meus olhos como se eu estivesse recém me sentando e fosse novo ali.

Avancei o queixo para reclamar e acabar com a palhaçada, mas ele se antecipou com um vozeirão afinadíssimo:

— Não aguento mais esse lugar, estou louco para sair. Entreguei demissão ontem, e o proprietário recusou.

Sua resposta me desarmou. Ele mantinha uma Elza Soares dentro dele.

— Vocês não têm ideia do que enfrento — completou.

Permanecemos boquiabertos, sem reação. Num golpe de telepatia, ele tomou a minha fala, roubou minha cena do roteiro. Sua lamúria anulou a crítica. Eu fiquei totalmente paralisado, gaguejei suspiros.

Com medo de que ele chorasse, perguntei como poderia ajudá-lo.

O que ele aprontou foi melhor do que pedir desculpa, ele inverteu os papéis, mudou de lado, pulou a portinhola do balcão.

Juntou-se a nós, colocou a farda de nosso time e reclamou de seu serviço a ponto de neutralizar o ataque. Um pouquinho mais estaria comendo conosco. Um pouquinho mais seria adotado pela família.

Como a gente não localizou ninguém mais para reclamar, decidimos esperar o tempo que fosse.

## COMO CHAMAR ATENÇÃO DAS MULHERES

Homem gosta de se apresentar, mulher gosta de ser definida.

E não precisa acertar a resposta, ela ama a coragem do palpite. A ousadia da múltipla escolha. A firmeza investigativa.

Não é complicado descobrir quando ela fisgou o anzol da gravata.

Mulher quando está interessada em você diz:

— Mesmo?

(Uma resposta interrogativa, que pretende estender o diálogo.)

Mulher quando não está interessada em você diz:

— É...

(Uma resposta reticente, tediosa, de quem virou o rosto.)

Diferenças sutis, mas determinantes.

Um modo de provocar a atenção feminina é bancar o terapeuta. Como ela não pode ter envolvimento com o próprio psicanalista, devido à quebra de sigilo profissional, já aproveita para se encaixar numa fantasia preexistente.

Mulher adora ser definida. De verdade. É uma arapuca a que a maioria sucumbe.

Chegue perto e diga:

— Eu acho que você é...

Conceitue com vontade, como se fosse um dicionário do comportamento moderno, uma enciclopédia farroupilha, um Larousse chimango.

Crie um verbete para a ocasião:

— Você é ansiosa

— Você é romântica.

— Você é nostálgica.

— Você é delicada.

Qualquer coisa. Ela vai mudar o olhar, acordar os cílios e dedicar-lhe concentração somente reservada ao damasco e ao morango.

Mulher é alucinada por macho que chuta a resposta, que tem observações confiantes, que não é neutro e imparcial.

Mulher odeia os mornos, os frouxos, os requentados, o chato que diz "não posso generalizar".

Tanto pode como deve generalizar. É assumir a responsabilidade pelas palavras, pelo destino, pelo abraço, pelo beijo, pelo filho, por tudo o que virá depois do contato inicial.

Mulher se derrete quando é o centro da atenção, do papo, do mundo. Quer que falem dela, por bem ou por mal.

Quando o macho se lança a explicá-la, ela replica com malicioso suspense.

— Por quê?

Daí terá a primeira conversa reservada, tête-à-tête, olho no olho.

Porém, se deseja assumir um papel inesquecível, sublime, eterno, realize pressentimentos.

A profecia é ainda superior ao ato de definir. É uma cantada arrebatadora, sem defesa.

Chegue perto e diga:

— Eu acho que você será...

Abrir o futuro para a mulher é um ato heroico, um feito romântico. Não é à toa que ela procura permanentemente dicas de horóscopo, previsão de tempo, tarô, búzios.

Homem gosta de se mostrar, mulher gosta de ser adivinhada.

# ATRÁS DO BALCÃO

O privilégio irrita. É esperar numa fila e um barbado que acabou de surgir ser chamado antes. Nossa paciência não é recompensada pela igualdade. Não há problema nenhum em reconhecer o trabalho e a importância de alguém, desde que eu não seja envolvido como moeda no pagamento.

* * *

Mas o que mais irrita de verdade é perder o direito a ponto de o direito do outro parecer um privilégio.

Rubem Braga foi pedir um ovo numa lanchonete paulista:

— Ovos fritos, por favor!

— Não, não temos ovo — o atendente respondeu, para servir o sujeito ao lado com farta porção de omelete.

* * *

A humilhação é maior do que a raiva e retira as palavras — talvez seja uma raiva fria e demore a ser engolida. O cronista não teve reação, não brigou, não revidou, guardou suas sobrancelhas no guardanapo do rosto e tomou as dores da rua.

* * *

É um pouco assim no amor. Ou muito assim. O marido recusa ovos estrelados para a esposa enquanto prepara omeletes para as demais freguesas.

* * *

É terrível para uma mulher acompanhar seu companheiro feliz com os amigos do futebol, disposto e incansável para missões profissionais no final de semana; e totalmente ausente em casa. Não de presença, mas de espírito. E um espírito analfabeto que sequer escreve cartas do além.

* * *

É ele pisar no capacho que fecha o rosto, é ele entrar na sala que resmunga. Não aceita carinhos, conversas, delongas. Sucumbe à mecânica da rotina: tomar banho, jantar, assistir televisão e dormir. Quase como um recruta em serviço militar, adotando uma série de tarefas físicas para não pensar.

Já porta afora saca gracinhas com as balconistas, diverte-se com o porteiro do prédio, ri sem parar ao telefone.

* * *

A esposa conclui que vem sendo um monstro, responsável pela desgraça familiar. As mulheres sempre assumiram a culpa — os homens sempre recorreram ao ódio.

* * *

Ela se ressente de não agradá-lo como no início. Vai ao terapeuta, inscreve-se em ginástica sexual, frequenta yoga, ocupa o dia inteiro criando alternativas para salvar o relacionamento.

* * *

Não há ninguém para avisá-la que não deve sofrer pelos dois, seu marido é que deixa o melhor para o mundo e o pior para ela.

* * *

O amor não é um privilégio, é um direito.

* * *

Se não entendeu, por precaução, é bom lembrar ao marido que faltam ovos em casa.

# NINGUÉM VAI MAIS CONSEGUIR SAIR DE CASA

Eu faço a mão esquerda para não lavar louça. Cansado da chantagem da mulher, que fugia de nossa combinação para não estragar o esmalte das unhas.

Mas a situação está ficando fora de controle. Tenho saudade do Kiss e do Secos e Molhados, quando homem pintado se restringia à figura do artista.

O homem decidiu se depilar. Inicialmente, foi um ato singelo de clarear os pelos, de brincadeira. Em seguida, disse que precisava raspar tudo para nadar mais rápido. O mesmo ocorreu com o batom, que teve seu começo ingênuo com a manteiga de cacau.

De desculpa a desculpa, chegamos à drag queen.

Agora, o macho partiu para a maquiagem. Inventou de ser emo para sair decorado. Mas emo com 40 anos não existe, é projeto de Liza Minelli. Vejo senhores piscando olhinhos de urso panda na fila do cinema. Temo que não seja lápis, e sim delineador. O lápis é curiosidade, o delineador é convicção.

O último bastião da heterossexualidade é o rímel. Se o homem pegar emprestado o acessório de sua mulher, mata definitivamente Jece Valadão. Se emprestar o rímel para a mulher, leva junto o Zé do Caixão:

— Amor, você pegou meu rímel e não devolveu!

Imagine a força dessa frase dentro do lar. O eco dessa exclamação na estrutura familiar.

Os colegas aparecem cada vez mais atrasados no campinho da Avenida Ceará. Tem cara que toma banho antes de jogar. Os peladeiros passam protetor solar no rosto, creme nas mãos e nos pés. Querem atuar perfumados e com condicionador nos cabelos. É estranho, não alcanço o sentido de se embonecar no futebol. Para não desagradar ao goleiro? Para não ferir o olfato do zagueiro?

A mulher costuma retardar em 55 minutos a saída de casa para cuidar de sua beleza, segundo pesquisa da revista Times. O homem já demora 45 minutos. Ele se converteu numa noiva. Logo vai exigir um banheiro exclusivo para aproveitar seu estojo de maquiagem. Trocará a churrasqueira por um novo armarinho.

O avanço é irrefreável.

Seu marmanjo abusará do espelho, projetando o corpo para frente e para trás, repetindo mania feminina de analisar a progressão das rugas e dos pés de galinha.

Seu sujeito terá secador e chapinha com nomes nos cabos. Fechará a porta com chave no momento de mijar, algo impensável para seu avô, que entendia que homem que é homem só mijava de porta aberta.

Seu brutamontes nunca repetirá a roupa. Não poderá acusá-lo de monótono. As sobrancelhas conhecerão as pinças, sombras azuis modificarão a paisagem das pálpebras, esfoliante removerá as células mortas.

Seu gostosão, enfim, será a tão sonhada irmã que você pediu aos pais.

# MULHER NÃO TEM DESCANSO

A tentação amorosa da paciente diante do seu terapeuta vem do divã.

O divã não faz barriga.

A mulher deita e afina. Não se sente Gioconda ou a mais nova pintura de Fernando Botero.

O design da poltrona é o segredo das paixões platônicas.

Ele se curva como um leque. Um sabre. Não se preocupa com a posição. Não precisa encolher o ventre, disfarçar as sobras.

Liberada da aparência, tem tempo livre para amar. E o psicanalista é o beneficiado do contexto.

Divã é sofá de magro. Sofá feito de osso, sem celulite e estria.

Mulher nasceu para posar ali, mexendo levemente os cílios. Fica linda. Se todo marido visse sua esposa no divã, teria de volta o arrebatamento do namoro.

As sessões de terapia mereciam salas envidraçadas para a mirada terna dos esposos do lado de fora. Seria um berçário do amor. A fragilidade devolveria o interesse.

Homem é que escolhe assento fundo e macio. Despreza sua barriga.

Homem se afunda nas almofadas. Adota superfícies abauladas, verdadeiros cestos de roupas, poços de traseiro. Ele se dobra no excesso de peso.

Homem detesta divã. O que ele quer é seu sofá para se descadeirar.

Homem nasceu para o desleixo. Prefere o conforto a preservar sua imagem. Ele deita no espaldar e estica as pernas. É um horror aeróbico.

Já a mulher não senta sem cuidar de qualquer detalhe do corpo. Sentar não é um descanso, mas um exercício.

Mulher não senta para relaxar, e sim para observar a si mesma.

Sentar é uma arte, uma profissão, uma autocrítica.

Não significa finalmente suspirar, porém atender exigências da etiqueta.

Mulher senta como quem usa salto alto. Não é para ser agradável, é para estar exuberante.

As costas retas, a postura na altura da almofada, o olhar adiante: ela senta como quem caminha (o homem senta como quem nada).

Um cuidado extremo, de quem já se acostumou a mergulhar os pés na bacia para pintar as unhas jamais inclinando a cabeça.

Mulher dobra as pernas com convicção. De um lado é sim, de outro é não. Um braile educado. Um baile poético.

A trupe masculina, por sua vez, cruza as pernas por distração. Nem repara a direção de seus sapatos. É analfabeta da cintura para baixo.

O homem até agora não assimilou que mulher detesta colchão d'água. Nenhum perfil feminino é bonito no colchão d'água. Nenhuma silhueta é esbelta.

Ela deita e se desmancha. Deita e se espalha.

Disforme, estranha, gorda.

Colchão d'água é para baleia. Não ouse convidá-la a nadar de noite.

# CASINHA DE HOMEM

O homem brinca de casinha. É quando ele vai a um motel.

Todo motel tem ladeira e uma torre. O motel é o castelo do macho. É seu sonho de príncipe encantado.

Todo motel tem letreiros luminosos de cinema. É sua vontade de ser um ator pornô famoso e ser descoberto por Hollywood.

O motel é o conto de fadas masculino. É o pontapé inicial de sua vida imobiliária, o exercício de sua independência de estilo.

Homem não aprecia olhar apartamentos antes de comprar, não tem paciência para analisar plantas residenciais e espiar condomínios: homem visita motéis.

É uma compulsão estranha e irrefreável.

Não acredita em mim? Por que, então, quarto de motel tem churrasqueira? Explica?

Trata-se de um projeto secreto de residência, um modelo perfeito de convívio familiar. Traz a ilusão de lua de mel permanente com sua amada, não tem que aguentar a indiscrição de vizinhos e nunca sofrerá ameaça de despejo do condomínio por gritos e gemidos.

Naquele momento, realiza sua especulação patrimonial, treina seu gosto para decoração, avalia sofás, cortinas, box, azulejos para, posteriormente, adotar em seu cantinho. Passa a conhecer o que é uma poltrona Luís XV. Vivência moteleira é cultura.

Não estou troçando, o homem desejaria que seu dormitório fosse igual ao do lugar. Com cama redonda, espelhos no teto, luz negra, piso elevado, várias atmosferas e frigobar. Pergunte a qualquer marmanjo.

Adoraria dispor de um painel com botões para acender o ar-condicionado, o som, trocar as luzes e vibrar o colchão. Um controle centralizador que simplificasse seus movimentos e mantivesse o ambiente sob o alcance de um gesto.

O motel é o ideal de consumo dos marmanjos. Se possível com piscina, banheira de hidromassagem e roupão branco sempre lavado esperando no gancho atrás da porta. Na hora de ligar a tevê, que viesse direto os jogos exclusivos do Brasileirão, nada de novelas e seriados românticos.

Diante da pequena portinhola da garagem, logo na entrada do estabelecimento, o homem define o futuro da relação ao escolher o quarto. A tabela de preços é o equivalente à vitrine de uma joalheria para a mulher: cada quarto é uma aliança ou de 12 ou de 16 ou de 18 ou de 24 quilates.

Se ele solicita o apartamento simples, é apenas uma transa rápida, não passará de meia hora. Se ele sugere uma suíte, é proposta de namoro. Se ele requisita a chave de uma supersuíte, comemore o noivado. Se ele quer uma supersuíte luxo, é a consagração erótica, um convite indireto ao casamento.

Mas, se ele pedir uma supersuíte luxo presidencial, é que ele andou frequentando motel com outra e pretende obter o perdão.

## PAC-MAN SEMPRE VAI MORRER NUM BECO

O homem é um produto frágil demais. Pode ser destruído simplesmente pelo saca-rolha.

Eu tremo ao abrir uma garrafa de vinho. Vá que a rolha esteja esfarelada e afunde. O longo esforço de maturação da bebida, depois de dois anos de envelhecimento no barril e três na garrafa, morre em segundos pela minha imperícia. Nenhum dos presentes vai mexer o líquido rubro no cálice e cheirar o buquê por minha culpa.

O medo tem uma razão especial: a esposa é que me alcança a safra. Representa um ato de confiança, um crédito no relacionamento. É coisa de macho. Ela finge se distrair enquanto observa o desempenho pelo rabo dos olhos.

E se eu vacilo e ela delega a atividade para a visita? E se a visita abre com facilidade e solta um risinho diabólico?

Toda garrafa de vinho traz uma mensagem de S.O.S. Apelo de náufragos do amor.

O champanhe é também uma tragédia moral. Festa da virada, contagem regressiva 10, 9, 8, 7, 6, 5, 4, 3, 2, 1, e você se demora ao puxar o lacre. O mundo familiar aplaude, grita, e a garrafa permanece fechada em sua mão. É azar para o resto da vida amorosa, não somente para um ano.

Nossos maiores constrangimentos baixam nos pequenos atos, onde não há coragem, mas apenas obrigação. É se enxergar no dever de fazer, que o fracasso é certo.

Não são tarefas maiúsculas, em que podemos nos perdoar pela concorrência e nervosismo, como vestibular, autoescola e entrevista de emprego.

Refiro-me a situações coloquiais, da rotina, nas quais o outro conclui que você não terá dificuldade. Um dos vexames da escola foi bancar o educado com uma colega. Eu me ofereci para abrir seu salgadinho Pingo d'Ouro. Suava frigoríficos, e não descolava as pontas. Até que exagerei e o saco rasgou-se inteiro.

Já penei com uma lata de extrato de tomate. Não fui ensinado a usar o abridor pela mãe, pai, irmão mais velho (afinal, quem era o responsável pela aula?). No casamento, na primeira refeição a dois, dividindo romanticamente o balcão da cozinha, ganhei a ingrata tarefa. Desenhava a tampa e nada de furar a lata e encontrar a polpa. A massa pronta, a mulher aguardando e eu batendo cabeça por 15 intermináveis minutos. O avental foi curto para conter o al sugo do rosto.

Experimento sucessivamente suspiros de alívio ou engasgos de aflição diante de potes de geleia, requeijão e pepino.

Dói quando sua companhia compra ingresso para assistir a você se estrebuchar.

Dói quando você recorre à camisa para torcer a tampa.

Dói ainda mais quando ela consola:

— Não depende de força, mas de jeitinho.

É uma das frases mais horríveis de se escutar na vida, junto com "isso acontece!".

# SEGUNDAS INTENÇÕES DA MULHER

Mulher sempre tem uma segunda intenção ao escolher um presente para o homem. O laço é uma algema secreta. Ela não compra por comprar, é uma consumidora experiente, conhece o shopping como ninguém, escolada no provador de roupa. Não iria oferecer um presente à toa. Não dá ponto sem nó. Todo mimo carrega um significado simbólico, especial, definitivo.

Pode reparar: homem é capaz de dispensar a embalagem, a mulher jamais. O embrulho indica o envolvimento emocional, assim como o cartão autentica as flores.

Seu consumismo não é fútil, mas espirituoso. Gasta a favor de uma mensagem oculta, de um sentido para a relação a dois.

Disposto a ampliar os serviços do Procon, criei o Código Masculino de Defesa do Consumidor:

1 ) Quando a mulher compra CD ou livro, ela tem vontade de ser sua amiga. Ainda não traduz nenhum movimento de posse.

2) Quando a mulher compra um perfume, o negócio é sério, mostra que está amando. Pretende aniquilar lembranças da ex e acabar com qualquer cheiro do passado.

3) Quando a mulher compra cueca, denuncia uma louca ansiedade pelo casamento. Procura superar sua mãe e trocar a dependência materna pela sexual.

4) Quando a mulher compra caneca ou uniforme esportivo, já o enxerga como pai dos seus filhos, indício forte de que deseja engravidar.

5) Quando a mulher compra um porta-retratos, é um jeito de avisá-lo de que não vem colocando as fotos dela em seu Facebook.

6) Quando a mulher compra uma poltrona, é uma dominação psicológica, busca substituir o divã de seu terapeuta (é algo como "pare de falar mal de mim para ele").

7) Quando a mulher compra uma almofada, tenta frear sua obesidade mórbida. Hora de abandonar os rodízios de churrasco, galeto e pizza e emagrecer um pouquinho só para não morrer.

8) Quando a mulher compra um relógio, insinua que necessita de mais tempo ao seu lado. Portanto, largue o futebol com amigos e deixe de voltar tarde.

9) Quando a mulher compra joias, não é uma mulher, garanto, trata-se de um travesti.

10) Quando a mulher compra pijama de bolso, tem interesse de amansá-lo, castrá-lo, anular futuras amantes.

11) Quando a mulher compra uma toalha, chegou ao fim da história. Mulher apenas é direta na separação. Não tem nenhuma ambiguidade, ela jogou a toalha mesmo.

# A VOZ DO AEROPORTO E DA RODOVIÁRIA

A voz do aeroporto é feminina, a voz da rodoviária é feminina. Já reparou na coincidência? Elas vivem nos avisando do tempo do trajeto, das escalas, do portão, esclarecendo dúvidas, organizando as filas.

Os pontos de embarque não poderiam apresentar um timbre masculino. Homem não sabe se despedir: ele desaparece, prefere não mais falar a explicar suas fraquezas. Lida mal com o sofrimento. Decide sumir a ser rejeitado.

Resmunga, não chora. Muda de assunto, não chora.

Você nunca vê seu pai em prantos porque ele engole as lágrimas. Você nunca enxerga seu marido se emocionando porque ele vai para outra sala controlar a respiração.

As chamadas do aeroporto e da rodoviária não poderiam vir de um homem. Não traria calma, mas apreensão de acidente.

Já com a voz feminina, existe uma empatia de nascença. É uma aspirina para os ouvidos, conto de fadas para dormir, eco do ventre. A conexão pode estar atrasada cinco horas e o tom é de tranquilidade maternal. Não provoca nenhuma inquietude, converte a espera em vantagem de leitura e solidão.

Homem é trágico, objetivo. Mulher é esperançosa, compreensiva.

Homem vai direto ao ponto, mulher deseja conversar acima de tudo.

Quando uma locutora aponta que o voo ou o ônibus não irá sair no horário, conquista o perdão fulminante. Deduzimos que ela fez o possível. Perante um locutor, antecipamos que ele quer nos enganar e está escondendo informações.

É como se o aeroporto e a rodoviária fossem um altar. É natural o atraso da noiva, é uma afronta o atraso do noivo.

Homem não poderia estar mesmo nos microfones dos locais de partida.

Ele ordena, não consegue pedir como a mulher. Ele determina, não consegue indicar como a mulher. Ele castiga, não consegue defender como a mulher. Ele manda, não consegue partilhar como a mulher.

A voz do rodeio é masculina, assim como voz do estádio e a voz do presídio. Vozes da multidão. Vozes impessoais. Vozes arrogantes. Vozes paternais.

Já a voz da mulher se dirige para cada passageiro ainda que seja para todos. É um recado compassivo, uma mensagem individual.

Elas dizem adeus como se fosse um até logo. Não dá para acreditar que seja o fim.

Por isso, o homem nunca confia que o relacionamento acabou. Sempre pensa que haverá um jeito de voltar.

É culpa da voz do aeroporto e da rodoviária.

## COSTAS DE ANJO

Homem quando vira de costas na cama é sono ou ofensa.

A mulher não vira de costas, oferece as costas.

Ela, de conchinha, ainda pretende conversar. São as legendas mais sérias, sinceras, definitivas de uma vida a dois.

Para a minha namorada, conversa olho no olho não supera a conversa da respiração no pescoço. Com o dorso colado em mim, ela está sempre de frente ao assunto, sensível ao batimento do meu corpo.

Antes de falar, hesita para identificar qual será sua audiência, se seu macho é no momento um confidente nos lençóis ou um boxeador cansado na lona.

Ela espera para ver se irei me aproximar de suas curvas, se estou afetuoso e aberto ao diálogo, se engatinho para me enredar em seus cabelos loiros.

Conhece as estratégias da pele. Tem noção de que o homem não finge abraçando, que o homem se envergonha de jurar em falso naquela posição.

Os braços masculinos representam autênticos detectores de mentiras. Estendidos, confirmam caligrafia honesta. Contraídos, escondem espirais de vingança.

Os dedos devem estar soltos para a aliança, espontâneos ao cruzamento suave das mãos.

Quando a namorada se distancia para o canto inverso da cama já sei que não é uma deserção, de modo nenhum é um abandono, mas um pedido de cumplicidade, um convite para tirar os sapatos e pisar em sua memória mais recôndita.

Sugere que está encolhida, mas é o contrário, está transparente de linguagem.

Estamos finalmente a sós do mundo. É como fechar a porta da cama depois de fechar a porta do quarto.

Meus olhos deitados se encaixam em seus ombros. O olfato se apura na saboneteira. E vejo o filme de suas palavras na tela de sua carne. Vou entendendo a importância do desabafo pelos suspiros e parágrafos curtos do pulmão.

Compreendo que escutar é proteger, escutar é reservar todo o corpo a alguém, não apenas o rosto, da mesma forma que reservamos uma mesa para jantar e um lugar no teatro.

Mulher não tem costas, como um anjo, uma árvore, um relâmpago.

Falará até cochilar, cochichando segredos, acalmando-se por dentro, aliviada por repartir suas dúvidas, sem se despedir, sem anunciar o fim.

E soprará "eu te amo" meio que dormindo. Você não ouvirá direito, a não ser que acorde ao lado dela para a repetição.

# SEGURAR UMA MULHER É IGUAL A BATER

O homem é violento.

Se você acredita que não é perigoso, é ainda mais selvagem. Sua raiva está reprimida, prestes a desaguar por um motivo banal.

Não brigamos intencionalmente, brigamos por soberba, quando nos julgamos imunes ao pior e terminamos pegos desprevenidos pelo monstro que somos.

Todo homem requer consciência de sua agressividade para nunca desrespeitar uma mulher.

Não deve confiar nas aparências, alegar que é educado, que é sensível, que é romântico — este é o caminho mais rápido à fatalidade.

Todo homem, apesar da feição civilizada, é um pugilista manso, um lutador amarrado, um arruaceiro contido.

A violência doméstica não é exclusividade dos outros, não é possessão do demônio.

Você é violento, não se sinta mal, não está sozinho nisso, eu sou violento, talvez mais violento do que um cão com raiva, do que um tigre magro, do que um leão levemente envelhecido.

É normal a coexistência da maldade e da bondade, do claro e do escuro, do divino e do bestial num só gesto.

Poeta, engenheiro, arquiteto, violinista, florista, não há profissão que nos salve do grito, dos punhos fechados e da ânsia de eliminar a resistência na base da força.

A questão é não permitir a ebulição da ira. Fugir das situações de descontrole, do deboche e da penúria do humor.

Evite se expor às ofensas por mais de duas horas — há uma cota de desaforo suportável pelo sangue.

O homem é Etna, é Fuji, é Vesúvio, um vulcão adormecido que pede vigilância perpétua.

Não batemos porque somos provocados. Batemos porque desejamos acabar com a crise de qualquer jeito. Batemos porque não nos conhecemos e sempre deduzimos que uma agressão na adolescência representou uma exceção, que uma vez trocamos sopapos no trânsito para nos defender. Deliramos que o ato de jogar a cadeira na parede apenas traduziu um momento.

Nenhuma justificativa pode disfarçar o problema de fundo: somos naturalmente violentos. Ouça-me enquanto é cedo e não ameace sua companhia.

Nenhuma explicação abafa o ódio. Reconstituição somente existe depois da morte, o inferno e o Presídio de Charqueadas estão lotados de desculpas.

Tatue a Maria da Penha nas pálpebras, tome as providências para não se achar imutável e maior do que a realidade.

Esmurrar a porta já é invasão. Arranhar a mulher já é soco. Empurrar a mulher já é espancamento. Não invente atenuantes.

E, por favor, não segure sua mulher, mesmo que seja para acalmá-la, mesmo que seja para contê-la, mesmo que seja para abraçá-la e dizer que a ama. Segurar num momento de tensão é igual a bater. Agredir sempre foi simples demais. A ternura que é trabalhosa, a ternura que não é de graça, a ternura que leva tempo.

Cuide de si para cuidar de sua esposa.

*MEUS OUTROS*

## CADÊ MINHAS LEMBRANÇAS FELIZES?

De todas as conversas que tive com minha mãe, só lembro aquela que me magoou.

De todos os nossos longos e curtos diálogos no carro, no ônibus, em casa, nas praças, nas caminhadas pelo bairro.

Milhares de cumprimentos, de abraços, de risos, de colos, de palavras de incentivo, de piadas e recordações, e o que guardo é ela dizendo que não presto.

Uma única vez em que não prestei entre um turbilhão de outras em que fui tratado como um príncipe.

Por que essa ingratidão memorativa? Por que essa desigualdade evocativa?

De todas as conversas que travei com meu irmão, só conservo a que nos separou.

A gente fez castelo juntos, jogou futebol, armou casinhas, confabulou planos, inventou segredos; centenas de dias ensolarados e noites de insônia partilhadas e agora desaparecidas entre o hipocampo e o córtex frontal.

O que ficou de agradável: nada.

Estou por concluir que a memória abomina a felicidade.

Não cuidamos dos positivos das lembranças, apenas colecionamos os negativos.

Não nos esforçamos para guardar os bons momentos porque temos a ideia — equivocada — de que são obrigatórios.

Há o entendimento de que a normalidade é acumular glória na vida enquanto a dor é um acidente de percurso. Há a convicção de que a alegria é uma condição natural enquanto a cara fechada é uma exceção (não seria o contrário?).

Predomina em nós a compreensão ingênua da felicidade como facilidade e da tristeza como dificuldade. Ser feliz seria simples e ser triste consistiria numa tremenda injustiça.

Uma noção do mundo em linha reta, de amor em abundância, provocando o desperdício constante e perigoso.

Não preservamos as delicadezas, assim como não economizamos água, já que ela verte com ligeireza pela torneira da residência.

Não poupamos as cenas comoventes, assim como não economizamos luz, já que ela depende de um clique para clarear as paredes.

Não embrulhamos a ternura, esnobamos. Parece que é um dever recebê-la, que nossa companhia precisa nos oferecer sempre o cotidiano mais precioso. Devoramos um bolinho de chuva pensando no próximo. Beijamos a boca de nossa mulher cobiçando o segundo, o terceiro e o quarto beijo.

O que é ruim é solene. O que é bom é descartável.

A morte se torna mais inesquecível do que o nascimento. O atrito surge mais consolidado do que o primeiro encontro. A ruptura se destaca diante dos acordes iniciais da amizade.

Temos amnésia da leveza, pois deduzimos que virá mais e mais no dia seguinte. Não criamos álbuns de nossas gargalhadas, mas recortamos as cenas rancorosas e amargas como se fossem definitivas e esclarecedoras.

Somos algozes da felicidade e, ao mesmo tempo, vítimas da infelicidade

# A UM FILHO QUE SE FOI

Minha amiga Dora perdeu seu filho.

Ela disse que o momento mais difícil do luto foi quando ela riu de uma piada durante jantar entre amigas. Já havia completado dois anos do acidente e um ano que limpara o quarto do adolescente e oferecera suas roupas e pertences para campanha do agasalho.

Não conteve o riso, ele veio, cristalino, por uma história boba. Ela se penalizou pela alegria, acreditou que traía seu filho com a gargalhada, que não poderia mais ser feliz depois da tragédia familiar, que deveria seguir com a feição contraída e casmurra para homenagear a tristeza e avisar aos outros da longevidade e importância de sua ferida.

A lealdade tinha que ser séria, ornada de renúncias. Para indicar que a viuvez de ventre é definitiva, com o berço dos olhos petrificado em jazigo.

Ela se sentiu culpada por rir, envergonhada perante os céus, pediu desculpa ao filho, prometeu que estaria mais concentrada dali por diante e que o descontrole não se repetiria.

Mas ela quebrou a palavra e riu novamente, como é próprio da vida superar o pesar de repente. Seu rosto agora participava da conversa com todas as rugas e covas. Bateu vontade de cobrir os lábios de batom para brilhar inteira.

Dora me segredou uma frase pura, que guardei na caixinha de sapatos de minha infância:

— Foi uma injustiça meu filho morrer, mas não poderia deixar a morte de meu filho me matar.

Doralice sempre me surpreendeu pela sua lucidez. Foi minha professora de matemática na Escola Estadual Imperatriz Leopoldina. Na última semana, passei pela frente de sua casa no bairro Petrópolis e arrisquei apertar sua campainha. Ela me recebeu com um longo abraço e me convidou a entrar. Reparei que pintava na varanda.

— Começou a pintar, Dora?

— Eu? Não...

— O que é essa tela? (eu me aproximei da moldura que reproduzia uma praia no inverno)

— Ah, é minha dor que estava pintando, coloquei minha dor a se mexer, a aprender algo de útil e parar de me incomodar.

E concordei com seu raciocínio. Quantas vezes abandonamos nossa dor no sofá, vadia, assistindo tevê? Quantas vezes permitimos que ela fique o dia inteiro dormindo, lembrando bobagens? Nossa dor sozinha, sem emprego, sem fazer nada, desejando morrer no escuro. Nossa dor comendo às nossas custas, terminando com os nervos, o casamento, as amizades.

Dor é feita para trabalhar, senão adoecemos no lugar dela.

## QUAL O SEGREDO DO PADRE NEJAR?

Meu pai teve um tio padre: Alberto Nejar.

Preencheu a cota de ascese da família. Uma batina para aliviar a língua ferina de duas gerações de escritores.

Ele conduzia as missas no bairro São Geraldo, em Porto Alegre.

Nunca tive a chance de ouvi-lo no púlpito, na verdade não lembro de qualquer encontro. Acho que meu pai brigou com seu tio, o que indica uma imensa coragem. Brigar com padre é coisa de bagual, ainda mais do mesmo sangue. É realmente não temer o inferno.

Imaginava o sacerdote com frequência, a ponto de acreditar que eu o conheci: bufo, bochechas rosadas pelo calor, gargalhada rouca, barriga de senador romano. O engano decorria de uma fantasia repetida. Toda lembrança é uma fantasia repetida.

Alberto foi um de nossos mais famosos parentes. Mais do que ele, somente um remoto Ildo Nejar, dirigente e árbitro de futebol no Rio de Janeiro.

Quando soletrava meu sobrenome na infância, logo me perguntavam qual o vínculo com o padre Nejar. Fiquei craque em responder por evasivas, comentar da distância dos laços, levantar os ombros aos pássaros.

Mas me espantava com a adoração dos fiéis:

— Padre Alberto nos motivava a voltar!

— Não existia um padre igual!

— Alma compreensiva!

Intrigado com o impacto positivo na paróquia, nunca encontrei alguém que falasse mal dele, que insinuasse casos secretos, hábitos estranhos, favorecimentos esdrúxulos, desvio de hóstias para casquinhas de sorvete, superfaturamento de vinhos de garrafão.

Perante sua trajetória ilibada, inconsútil, não duvidaria de uma possível beatificação, fardo intolerável. Um padre na família estava de bom tamanho, um santo seria um transtorno psicológico irreversível. Ninguém mais poderia cometer maldades em paz.

O curioso é que o elogio de seus contemporâneos vinha com convicção, nem fazia sentido questionar o motivo do favoritismo. Deduzia que era um excelente orador, que falava as verdades na cara dos pecadores e lotava as missas dominicais. Ou que resolvia impasses do confessionário com excelentes conselhos. Ou que cantava lindamente, barítono acompanhado do coro da Terceira Idade.

Mordido pela cisma, finalmente perguntei a um antigo coroinha da São Geraldo o segredo do padre Nejar.

— Por que todo mundo gostava dele?

— Sua missa era a mais rápida da cidade.

# AS MEIAS VERMELHAS DE MEU TIO-AVÔ

A verdade sempre me seduziu mais do que a mentira. A mentira impressiona, a verdade emociona.

Alberto Nejar passou a vida esperando ser bispo, pois estava a um passo da recompensa profissional. Tratava-se da próxima escala; natural, previsível. Assim como depois de capitão vem a estrela de major, assim como depois de capitão-tenente vem a cruz bordada de capitão de corveta.

Alberto aguardava assumir o ruivo do solidéu, o rubro da batina. Ansiava pelo reconhecimento do trabalho comunitário, da evangelização dos jovens pelo esporte, das campanhas de agasalho e acampamentos no Interior.

O que me entristece é que ele, tão certo da promoção, tão convicto da transição, comprou meias vermelhas de bispo jurando que seria chamado. E não foi. Nunca foi.

Ele dormia com meias vermelhas de bispo para atrair sorte, talvez para convencer o destino a entregar a carta do Vaticano no dia seguinte. E não veio. Nunca veio.

É um desconforto projetar o quanto ele sofreu em silêncio. O quanto padeceu em segredo para não ser tachado de ambicioso.

Mas alguém incutiu a esperança nele, Alberto não concluiu sozinho que seria bispo. Tudo deve ter partido de uma insinuação, de uma fofoca. Alguém influente torturou Alberto com sua própria fé. Criou uma falsa expectativa para retirar o resto pouco a pouco, para deserdá-lo do sentimento de justiça e retribuição que tinha pela vida.

O exemplo de meu tio renova meu cuidado na hora de conversar: não temos o direito de maltratar a esperança do outro.

Se não ama seu namorado ou sua namorada, deixe ir, não fique prendendo por comodidade e vaidade. Se um convite desagradou, diga de cara, não torture com desculpas. Se está interessado em promover um funcionário, faça logo, não fique adiando ou explorando a expectativa para que o sujeito trabalhe mais. Se pretende oferecer um presente, dê rápido, sem suspense, não realize chantagem

Há a necessidade de ser direto e evitar insinuações que provoquem mal-entendidos. Não procure o benefício da dúvida, e sim a lealdade da palavra.

Falar a verdade o quanto antes, para que a pessoa possa adaptar-se com a perda, criar um novo sonho e mudar a cor das meias.

# TENHO UMA FILHA DE 18 ANOS

Mariana completou 18 anos. Ela diz pai pai... sempre duas vezes, acho engraçado, não é apenas pai!, mas pai pai..., um chamado reticente, com eco de montanha, a me procurar pela casa. Talvez dobre a paternidade para recuperar os dias e os anos que não esteve comigo. Moramos juntos desde 2010. Já sofremos a distância, o medo de ser esquecido. Agora dividimos o mesmo telhado de estrelas para comemorar sua maioridade.

Tenho uma filha adulta. Uma filha crescida. Sinto-me importante, não me vejo envelhecido.

Mariana é altamente vaidosa de suas palavras. Exatamente como eu.

Lê devagar para não perder nenhuma frase. Não suporta uma palavra sem significado. Carrega minidicionário na bolsa. Nunca ri disso, acha que o escritor é um turista da própria língua, não tem vergonha de perguntar o óbvio e colecionar sons.

Mariana é uma tímida esbaforida. Exatamente como eu.

Aquela figura atrapalhada que tenta não chamar atenção e acaba atraindo o dobro do apelo. Entrará de fininho em sala de aula, atrasada, e derrubará metade dos livros. A turma inteira vai girar o rosto em sua direção.

Mariana é ansiosa. Exatamente como eu.

Para esperar um torpedo de namoro, inventa o inferno. Para esperar uma reconciliação, come uma caixa de bombons. Para ganhar um abraço, briga e grita como um bicho. O que mais desagrada na história do mundo é a paciência. Tem uma pressa para ser feliz. O amor é para ontem, hoje é tarde.

Mariana é distraída. Exatamente como eu.

Não que tenha problema de atenção, é o contrário, um excesso de escuta, acompanha duas ou três conversas simultaneamente e pretende participar de todas.

Mariana é debochada. Exatamente como eu.

Cria conflitos para sair do tédio. Faz piadas solitárias, provoca as pessoas a tomar partido, polemiza por prazer e testa os limites dos outros. Poucos entendem sua rápida mudança de posicionamento: desagrada com fúria e logo avisa que era brincadeira.

Mariana tem meus olhos tristes e caídos, minha paixão por dormir tarde, meu receio dos armários abertos, minha curiosidade pelas geladeiras dos amigos, minha superstição com escadas, minha inclinação por roupas coloridas e extravagantes.

Mas sou mais pai quando minha filha não se parece comigo. Quando ela não me repete. Quando ela é ela e mais ninguém.

Mariana, por exemplo, perdoa com facilidade a vida, bem diferente de mim, que não desculpei o tempo que não fiquei perto dela.

# MINHA CIDADE SÃO AS PESSOAS

O que faz gostar de uma cidade são as pessoas. A amizade é o ponto turístico que resiste ao tempo.

Minha vontade de conhecer mais as praças, os bares e restaurantes depende de alguém emocionado com sua rotina.

Lugarejos ficam atraentes com o entusiasmo de seus moradores. Nem requer grandes monumentos de Antonio Caringi, façanhas arquitetônicas de Álvaro Siza, desenhos de Oscar Niemeyer, paisagens de Burle Marx, mas o cuidado com as singelezas maravilhosas de seu bairro.

O que me seduz é como o morador desenrola o mapa discreto do seu dia a dia. É quando valoriza as quadras de seu mundo e tem interesse em mostrar onde é o minimercado em que compra suas urgências, a cafeteria que cura sua ressaca, a floricultura que devolve sua esperança no amor.

O arrebatamento surge mais pela ternura do embrulho do que pelo presente. Papel dobrado com fita reflete o dobro de confiança.

A generosidade torna qualquer local agradável e repõe a gana de voltar. Carisma de garçons salva restaurantes. Simpatia de manicures salva salões. Paciência de atendentes salva lojas.

Não há maior educação do que a alegria.

Sou influenciável pelos personagens comuns que não se esgotam em acordar cedo e falar bem de seus percursos. Fogem do elogio da lamúria. Retiram milagres das repetições.

Os amigos formam minha cidade. As ruas que passo mereceriam nomes das pessoas que amo. Deveria mudar as placas dos logradouros: nada de políticos e celebridades, mas quem é famoso secretamente em meu silêncio.

Moraria paralelo às ruas Mariana Carpinejar e Vicente Carpinejar, que eu não sei ainda o que eles serão, mas já são tudo como filhos. Os pais, Maria Carpi e Carlos Nejar, teriam direito a duas avenidas do tamanho da Assis Brasil e Ipiranga.

Batizaria o viaduto que me leva ao centro de Mário e Diana Corso, casal de confidentes. Seria Diana para quem chega e Mário para quem parte ao interior do Estado.

O mercado público ganharia a graça de Luiz Ruffato, irmão de prosa que cataloga frases de efeito. Chamaria o teatro de Cíntia Moscovich, a casa noturna de Renato Godá, o shopping de Eduardo Nasi, a Biblioteca Pública de Rosemary Alves, a orquestra de Francesca Romani. Honraria o Jardim Botânico com um professor fundamental, Luís Augusto Fischer, que me alcançou uma lição preciosa: somos mais inteligentes criando novas dúvidas do que repetindo certezas. Convocaria um colorado, Paulo Scott, para assumir a posteridade do estádio.

Desejaria indicar o crítico Daniel Piza para ser minha rodoviária, espaço em que ocorrem as mais pungentes despedidas. Mas ele morreu na última sexta, aos 41 anos, de AVC. Não dá mais.

Amigo vivo é rua, amigo morto é estrela.

# PERDOE SEUS PAIS

Gostamos mais de punir do que amar e perdoar. Para reclamar e cobrar, não pensamos duas vezes. Para desculpar, ainda estamos pensando.

Todo marido ou esposa sofre com a separação. É resistir ao transbordamento do ressentimento, acompanhar com pesar a transformação de uma personalidade atenta e interessada em tudo o que você diz para um ente completamente estranho, indiferente e amargo, que mal olha em seus olhos.

Se a antipatia declarada do divórcio já atormenta, não conheço algo mais cruel do que a distância de uma mãe de seu filho. Quando o filho rompe com os pais velhos e demora a fazer as pazes, confiando num futuro infinito para a reconciliação.

Na praia do Cassino, a amiga Berenice, 73 anos, comprou duas casas geminadas, uma para si e outra para seu filho, Juvenal, 39.

O que ela não previa era o estremecimento das relações entre os dois. O boicote filial vem durando quatro veraneios.

Juvenal prepara churrasco, recebe amigos e familiares, brinca com os vizinhos e jamais convida sua mãe a participar de qualquer festa. Ela fica na varanda, triste e sonolenta, observando a algazarra, mexendo sua cadeira de balanço para trás e para frente.

Juvenal passa de manhã pela residência materna, que é caminho da padaria, e não a cumprimenta nem na ida, muito menos na volta. Atravessa reto, como se ela não existisse, como se fosse um túmulo desconhecido.

Seu desprezo extrapolou a conta. Mesmo que tenha razão em brigar, não há sentido em prolongar a dor de alguém que envelheceu.

Ela experimentou 60 dias na praia com a expectativa de uma retomada dos laços com sua criança grande. E os dias são décadas para a terceira idade. E as décadas são séculos para os cabelos grisalhos.

Não tomava banho de mar para não correr risco de perder o reencontro. Mantinha-se tricotando na entrada, despistando o choro da voz. Uma Penélope do próprio ventre. Uma viúva de suas vísceras.

É um erro forçar que nossos pais mudem de comportamento, é uma tolice educá-los com reprimendas e devolver castigos da infância, é inútil propor que eles concordem com nossas opiniões. Forçar uma retratação não tem sentido. O ódio é apenas um segundo nome da dependência.

O filho sempre será o lado mais fraco, acostume-se, o lado que deve ceder. Não é justo brigar com quem tem o dobro de nossa idade. Podemos guerrear com irmão, virar as costas a um amigo, onde ocorre uma equivalência etária, onde haverá tempo para acertar as arestas.

Mas nunca destrate pai e mãe enrugados. Finja que concorda. Mude de assunto. Não seja o centro da discórdia. Não prolongue o mal-estar. Estar certo não nos acrescenta em importância.

Esqueça o rancor. Antes que a morte seja a última lembrança. E o arrependimento cubra a lápide com a voracidade dos inços.

## MESA RESERVADA

Sandrinha ama meu filho Vicente. Ela coordena a brigada de atendentes no restaurante Suzanne Marie, no Moinhos de Vento.

Amar meu filho é me amar duas vezes.

Não consigo ser pai com Sandrinha perto. Ela não deixa faltar nada. É o menino se acomodar na cadeira que já está cochichando planos mirabolantes em seu ouvido, por certo encomendando pratos especiais fora do cardápio, imagino que seja ovo estrelado em cima do arroz soltinho, bife e batatas fritas, algo irresistível para uma criança.

Molecagem de amigos, que aumenta porque não escuto a conversa. Identifico que o assunto é proibido pelas risadas e olhos chineses dos dois.

Com Sandrinha perto, Vicente vive um domingo eterno, do jeito que sonhara no ventre.

Eu brinco que ela leva meu filho em sua bandeja para cá e para lá, que mima demais o guri, que estraga a educação com excessiva ternura.

Na aparência, reclamo e faço cena; secretamente, admiro seus cuidados, sei que o amor conserva, não estraga ninguém.

De modo egoísta, a família torce para que não tire férias. Com ela longe, as fadas desaparecem, Debussy se cala, o suco da filha Mariana não vem, meu café enfraquece, o chá da esposa dorme no bolso do garçom.

Sandrinha é insubstituível. Uma monarca da simplicidade.

Tão aplicada e cuidadosa, que nunca a vi de cabelos soltos, sempre de coque. Deve ser bailarina de uma caixinha de música. Dança sem parar no espelho de nossos olhos, num vaivém incessante, destacando-se pela elegância — a sapatilha rosa da boca, as palavras na ponta dos pés, o pescoço erguido mesmo ao apanhar talheres do chão.

Vicente dá corda, eu dou corda, não queremos perdê-la de vista: exemplifica a delicadeza atenta do lugar, a comida curativa.

Mas Sandrinha hoje não poderá vir. Nem amanhã. Nem depois de amanhã. Vai demorar a voltar.

Recupera-se na UTI do Hospital de Gravataí. Foi vítima de um assalto ao descer do ônibus no sábado, no retorno do trabalho. Abordada por um ladrão, entrou em pânico, saiu correndo e caiu na rua. O assaltante atirou friamente em suas costas. Atirou quando ela estava deitada, indefesa, entregue.

Talvez ela não ande mais. Agora eu e Vicente iremos carregá-la no colo.

É hora de servi-la. E ainda explicaremos para Sandrinha que ela é magra, leve, não cansa os braços.

# AOS MEUS IRMÃOS

Eu convivia com meus primos até o Natal de 80.

O pai brigou com seus irmãos e deixamos de visitar a casa dos avós e de participar das festas da virada com toda a família.

Foi um desaparecimento sem explicação. Sempre brincava com meus oito primos, paramos de nos ver de repente por imposição e diferenças dos adultos.

Nem desconfio qual o motivo do desentendimento entre os tios e as tias. Sei que sobrou para as crianças, que cresceram separadas e longe do casario amarelo da Corte Real.

Herdamos o desterro. Não tenho nem ideia de como meus cúmplices de sangue e peraltice se encontram e como enfrentaram a maturidade.

Quanta diversão desperdiçada! Quanta algazarra sufocada no pulmão! Quantas vidraças intactas porque não jogamos mais bola na rua!

Perdi meus melhores momentos de férias, que eram roubar pingente do lustre da sala, deslizar de meias espiar revistas com mulheres seminuas, beber cerveja escondido.

Sumimos da vista e da vizinhança, apartados do contato.

Não quero repetir a tragédia. Mas estou fazendo igual ao meu pai.

Briguei com dois irmãos, Carla e Rodrigo.

Meus filhos Vicente e Mariana raramente falam com seus primos João Pedro, Giovanna e Francisco.

Não proíbo nada, mas não ajudo, o que dá no mesmo. Penalizo as crianças de frequentar os corredores do sobrenome.

O boicote é carregado de desculpas menores, finjo que estou certo, invento razões e me adio em mentiras.

Como estamos de mal, não visito os manos, sequer dividimos espaços em comum. É uma Guerra Fria, na qual o silêncio se bandeou para arrogância.

O tempo vem passando, e já faz dois anos sem aparecer nos aniversários, sem telefonar, sem atualizar o rosto, comemorar os sucessos, amparar as tristezas.

Moramos em Porto Alegre com um fosso interminável de ressentimento entre nossas casas.

Sou um penetra na vida deles, e eles são desconhecidos em minha vida.

Não visitei ainda Francisco, bebê recém-nascido do Rodrigo. Carla me atende, mas seu marido me odeia.

Que falta dos mais velhos nos obrigando as pazes. Hoje é complicado qualquer passo em direção ao riso.

Não pretendo ter mais razão. Prefiro transformar o orgulho em amor.

Peço desculpas aos dois publicamente. Tenho saudade de nossos churrascos, dos abraços gritados, dos conselhos sussurrados, de me emocionar à toa. E de trapacear no jogo de ludo.

Peço desculpas. Eu errei.

Nossa mãe, Maria Elisa, não suporta a gente distante.

— Não desejo morrer com vocês brigados. Não eduquei minha gurizada ao ressentimento.

Por favor, meu presente de Natal é comemorar com vocês. Prometo que empresto minha bicicleta amarela.

# UM COPO D'ÁGUA PARA PAULO MARINHO

Caminhava pelo aeroporto de Congonhas, esbaforido, suportando a terceira troca de portão da companhia aérea.

Alguém me chamou.

Virei o rosto já acenando.

Observei um homem encolhido numa cadeira de rodas, em área reservada aos que necessitavam de cuidados.

Não reconheci. Pela pressa do voo, não lancei atenção demorada. Bati a mão no peito fortalecendo o cumprimento. Deduzi que fosse um leitor ou algum espectador. Agi com brevidade simpática.

Quando retomei meu rumo, sua voz ainda me agarrou:

— Você me amou e me abandonou!

Conferi de novo seu vulto, intrigado com a força da sentença.

Quem? Não me parecia estranho: barbudo, 50 anos, sotaque gaúcho.

Avancei assim mesmo pelos corredores.

Colega de aula? Da turma da adolescência? Do bairro Petrópolis?

Os olhos amendoados e esverdeados me intrigavam. Teria sido um confidente? Como que me esqueci?

Os olhos ávidos (não carentes), de quem mesmo?

Os olhos dele continuavam grudados em mim enquanto eu arrastava a mala.

O medo de ter sido ingrato me consumia.

Entrei na fila do embarque. Ao entregar a passagem para o comissário, reconheci tardiamente o rosto. Ai, Meu Deus. Abandonei a fila, dei meia-volta em direção ao saguão e corri para encontrá-lo.

Fui gritando de longe, pedindo desconto pelo lapso:

— Paulo Marinho! Paulo Marinho!

Ele me enxergou vindo e sorriu. Sorriu bonito. Sorriu vingado. Sorriu refeito.

Só desejava que eu me recordasse dele.

O que mais deseja um doente do que um copo d'água e ser lembrado?

Fragilizado pelo câncer, Paulo Marinho não era mais a figura que conhecia: um fiapo, os braços derrubados, a fala arrastada.

Muito diferente do tempo robusto de nossa convivência, quando ele pescava, viajava, contava histórias de seus amores com galhardia e metáforas.

Muito diferente da época em que ele escrevia crônicas maravilhosas no Vale do Sinos e armava animados churrascos em Sapucaia.

Neguei sua fisionomia para negar sua doença. Infelizmente não queremos nos incomodar com amigos vulneráveis. Eles devem aguardar o fim das festas. Não é que não identificamos, tememos enfrentar o sofrimento que vem com a intimidade.

Mas seus olhos foram mais rápidos do que minha indiferença. Mais moleques. Mais guris. Recobrei seu nome pelos olhos infantis. Seus olhos não perderam a curiosidade com quem atravessa sua frente e a esperança de ser amado.

No Natal, não deixe nenhum amigo anônimo no hospital ou no aeroporto.

# CASACO É MEU PAIZINHO

Não tenho sequer um objeto de meu pai.

Nenhum cebolão antigo. Nenhum canivete suíço. Nenhum cachimbo. Nenhum cachecol. Nenhuma caneta especial.

Ele não me repassou talismã para lembrar sua importância. Não me chamou para o escritório em separado a fim de antecipar a mínima partilha. Não redigiu uma carta explicando o que era ser homem.

Mas herdei de meu pai o que sou.

Quando pequeno, eu o imitava. Hoje, ele me influencia.

Tenho dele a risada larga, bonachona, uma gaita que impulsiona o rosto para trás e me pede para fechar docemente as pálpebras.

Nosso pulmão é carregado de sotaque, o pulmão é o nosso CTG.

Tenho dele o jeito de cortar tomates na tábua, horizontal, absurdamente errado e divertido.

Tenho dele a mesma compulsão pelo atraso: sempre acreditando que posso fazer mais alguma coisinha antes de sair.

Tenho dele as mesmas distrações e desculpas furadas, as mesmas canetas explodindo nos bolsos.

Tenho dele o mesmo ímpeto de curar a raiva com uma caminhada pelo bairro.

Tenho dele a barba da juventude, as brotoejas do pescoço e a tendência de levantar as golas das camisas.

Tenho dele a adoração por sentar em balcões e experimentar pastéis em cidades estranhas.

Tenho dele as pernas tortas e os olhos puros de medo.

Tenho dele a vontade de cheirar o cangote dos filhos.

Tenho dele a mania por esculturas de cavalos e Dom Quixote.

Tenho dele a compulsão por riscar livros e escrever diários por códigos.

Tenho dele o dom de perder dinheiro e juntar amores.

Tenho dele o costume desagradável de gemer diante de um prato favorito.

Tenho dele igual fé em Deus e oro quando vejo o mar ou o pampa.

Meu pai está espalhado pelo meu caráter. Não preciso nada dele. Nem uma vírgula emprestada. O que é uma lembrança para quem tem todo o seu passado?

Cada gesto que vim a aprender ao longo da vida é o esforço arredondado de copiar sua letra e repassar seu temperamento ao papel vegetal da literatura.

Ele está escondido em meus dias. Invisível e forte como o vento.

No momento em que viajo de avião, acabo me protegendo do frio transformando o paletó em cobertor. O casaco fica invertido, de frente para mim, com as mangas cruzadas nas minhas costas.

Aquele casaco é também meu pai me abraçando.

# MÃE NÃO TEM FIM

Sou o filho preferido de minha mãe. Meus irmãos também acham que são os filhos preferidos. Ela criou todo filho como se fosse único. Para cada um separava uma cantiga de ninar e um segredo. "Não conta para ninguém, tá?", ela me alertou. Como eu não falei para meus irmãos, nem meus irmãos falaram para mim, ninguém sabe qual o segredo que é meu, qual o segredo que é deles. Vários segredos juntos formam um mistério. É um problema quando estamos reunidos. Eu acho que ela cozinhou para mim, os outros também acham. É um problema quando estamos longe. Eu acho que ela só ligou para mim, os outros também acham. Ela reclama imensamente de mim, nunca está satisfeita com o que eu faço. Penso que somente reclama de mim, reclama da família inteira na mesma proporção. Assim como divide um doce de forma igual. Assim como divide o pão em fatias gêmeas. Mãe não tem dedos, tem régua. Reclamar é sua lista de chamada. Reclamar é um jeito disfarçado de sentir saudade. No fundo, torce para que eu me distraia de uma de suas regras. Ela aponta a louça para lavar e logo limpa a pia. Ela pede uma carona, vou me arrumar, já tomou um táxi. Nunca pede duas vezes. Ou ela é rápida demais ou eu demoro. Na verdade, ela é rápida demais e eu demoro. Mãe é gincana. É agora ou nunca. Nem invente de responder nunca para ela. Sua reclamação tem virtude, sua reclamação é um quarto privativo, reclama só para mim. Para os demais, me torna muito melhor do que sou. Não me elogia para mim porque não quer me estragar. Tem esperança de que não me estraguei. Ela vibra quando encontra algo que não fiz. Inventa necessidades para ser reconhecida. Atrás da mínima palavra, pergunta se eu a amo. Ela escreve isso com os olhos, eu leio isso em seus lábios. O que a mãe mais teme é ser esquecida. Não tem como: mãe é a memória antes da memória. É a nossa primeira amizade com o mundo. O que parece chatice é cuidado. Cuidado excessivo. Cuidado a qualquer momento. Cuidado a qualquer hora, ao atravessar a rua, ao atravessar um namoro. Para o nosso bem, repete conselhos desde a infância. Para o nosso bem. Repetir o amor é aperfeiçoá-lo. Mãe não cansa de nos buscar na escola, mesmo quando não há mais escola. Mãe não cansa de controlar nossa febre, mesmo quando não há febre. Mãe não cansa de nos perdoar, mesmo quando não há pecado. Mãe não cansa de nos esperar da festa, mesmo quando já moramos longe. Mãe se assusta por nada e se encoraja do nada. Entende que o nosso não é um sim, que o nosso sim é talvez. Avisa para pegar o último bolinho, o último bife, em seguida arruma uma marmita para o lanche da tarde. Mãe tem uma coleção de guarda-chuvas prevendo que perderemos o próximo. Está sempre com a linha encilhada na agulha e caixinha de botões a postos. Conserva nosso quarto arrumado como se houvesse uma segunda infância. Mãe passa fome no lugar do filho, passa sede no lugar do filho, passa a vida guardando lugar ao filho. Mãe é assim, um exagero incansável. Adora chorar de felicidade nos observando dormir. Minha mãe chorava quando finalmente descansava no carro. Ela sussurrou o segredo, disse que eu era seu filho favorito. Não fofoquei para meus irmãos, não pretendia machucá-los. Eles também não me contaram que eram os favoritos dela.

# CINCO COISAS QUE PRECISO FAZER ANTES DOS 40 ANOS

Por um golpe do acaso, reencontrei minha agenda de estudante da 8ª série. Estava dentro da caixa dos troféus e medalhas de futebol, na garagem.

Cometi o erro de abri-la. Não se mexe em arquivos impunemente. Não dá para passar os olhos e deixar por isso mesmo. Somos absorvidos, tragados pela curiosidade da comparação. Os cinco minutinhos destinados ao assunto se transformam em dez horas. Nem notamos o dia migrar para a noite. Interrompemos uma encomenda urgente, apagamos reuniões, desaparecemos para a família, seduzidos pela nossa caligrafia desgovernada e antiga.

O que me espantou é que havia uma cartinha presa com clipe nas costas do volume: Cinco coisas que desejo fazer antes dos 40 anos.

(Em tempo, completo 40 anos em outubro. Não duvido que não tenha programado meu corpo a procurar a agenda perto do aniversário. Foi um alarme posto na memória para soar num prazo de vinte e sete anos.)

Mas por que 40, e não 30? Juntei as pontas e identifiquei que era a idade de meus pais na época.

Eu gargalhei quando li o que esperava de mim em 2012:

1) Saltar de paraquedas.

2) Não casar.

3) Conhecer Tóquio.

4) Aprender francês e italiano.

5) Ser milionário com a indústria de cinema.

Tive 100% de fracasso. Não cumpri nenhuma das alternativas. Assinei o atestado de incompetência perante aquele adolescente disposto a ganhar o mundo.

E me deu orgulho. Fiquei orgulhoso da decepção. Ri emocionado de minha invalidez estratégica, da minha nulidade profética.

Foi um sinal de saúde. Quem cumpre objetivos é neurótico.

É bobagem elaborar metas para atingir em determinada idade. Felicidade não se planeja, felicidade se descobre.

Ingenuidade congelar lista de intenções como se a vida não nos transformasse dia a dia.

O que vale alcançar objetivos como uma maratona turística? Para quê?

Nosso legado é o que falamos aos outros, não o que aparentamos ser. Todos os desejos terminam, no fundo, iguais porque não temos a coragem da simplicidade.

Amigos não admitem morrer sem visitar as pirâmides, por exemplo. Eu não quero morrer sem visitar meu pai ou minha mãe.

Ainda que eu tivesse apenas uma semana de vida, não mudaria meu temperamento. Felicidade é improvisar, é estar disposto não sabendo o que vai acontecer.

Não troco em nada o inventário do que realizei nestas quatro décadas.

(X) Dois filhos

(X) Separado

(X) Vinte livros

(X) Lê espanhol e desenha inglês

(X) Apartamento financiado.

Não é mais verdadeiro?

# *O SEGREDO*

## *CARTA PARA MINHA NAMORADA*

Eu decorei suas fraquezas, acalmei seus pesadelos.

Conheço histórias de sua infância, dores e repulsas.

Sou sua caixa-preta, sua cópia de segurança, seu diário, seu esconderijo na parede.

Poderia imitar sua caligrafia, poderia escrever sua biografia, listar o material escolar da 5ª série, recordá-la da capa de bichinhos coloridos da cartilha Alegria de Saber.

Você não escondeu nenhuma resposta de minhas perguntas. Nenhuma gaveta para a minha curiosidade.

Nunca se revelou tanto para outra pessoa. Expôs quem odiava no Ensino Médio, quem amava, quais as gafes e as covardias que experimentou na escola.

Confidenciou aquilo que seu pai gritou e que magoou fundo, aquilo que sua mãe omitiu e feriu fundo.

Não tem anticorpos contra mim. Baixou as armas, depôs a mínima resistência.

Se você me escolheu para confiar, devo ter o dobro de tato para falar contigo, o triplo de responsabilidade. Qualquer um conta com o direito de falhar, qualquer um desfruta da possibilidade de errar, menos eu. Sou o que realmente estudou seus pontos fracos e o lugar de suas veias.

Perdi a desculpa do acidente, a vantagem do lapso.

Sou o mais perigoso, portanto tenho a obrigação de defendê-la de mim. Tudo o que ouvi a seu respeito não posso empregar para agredi-la. Cada desabafo que me confiou não serve para nada, a não ser para amá-la.

Não tem finalidade doméstica, nem serventia para fofoca, é uma amnésia alegre: escuto, sorrio e consolo.

Não ouso soprar verdades sem sua permissão. São arquivos protegidos.

Quem ama mergulha em hipnose regressiva, firmamos um código de quietude e cumplicidade, de zelo e compromisso.

Intimidade é um conteúdo perigoso, tóxico, explosivo. Há os casais que esquecem que estão levando a valiosa carga e transformam a catarse em tortura psicológica, em chantagem emocional, em sequestro moral.

Suas confidências morrem comigo ou eu vou morrer nelas. Não podem retornar numa briga. Que eu morda a língua, queime a boca, mas não use jamais seus segredos. Aquilo que você me disse não é para ser devolvido. Todo segredo é um sino sem pêndulo.

Não importa o que faça ou as razões da raiva, é covardia distorcer suas lembranças.

Não posso rifar seus problemas, nem propor leilão dos seus medos.

Minha namorada, minha noiva, minha mulher, meu amor.

Eu prometo cercar seu silêncio com meu silêncio.

Não nasci para julgá-la, mas para me julgar e, assim, merecê-la.

Impresso no Brasil pelo
Sistema Cameron da Divisão Gráfica da
DISTRIBUIDORA RECORD DE SERVIÇOS DE IMPRENSA S.A.
Rua Argentina 171 – Rio de Janeiro, RJ – 20921-380 – Tel.: 2585-2000